«Ce que vaut un homme c'est
tellement ce qu'il devient.»

SAINT-EXUPÉRY

Les Glaneuses,
Bergeron, 1984.

-30- à la une,
Les éditions internationales Alain Stanké, 1993.

PIERRE
BOURQUE

Données de catalogage avant publication (Canada)

Richer, Anne,
Pierre Bourque - Portrait de l'homme
    ISBN 2-7604-0464-1
       1. Bourque, Pierre, 1942- 2. Jardin botanique de
Montréal. 3. Architectes paysagistes - Québec
(Province) - Montréal - Biographies. I. Titre.

SB63.B68R52 1994   712'.092   C94-940774-7

Photo de la couverture: Jean-Marie Bioteau
Conception graphique et montage: Olivier Lasser

**Les photographies contenues dans ce livre proviennent, sauf indi-
cation contraire, des archives personnelles de Pierre Bourque ou nous
ont été gracieusement prêtées par la médiathèque du Jardin botanique
de Montréal.**

*Les éditions internationales Alain Stanké bénéficient du soutien financier du Conseil
des Arts du Canada pour leur programme de publication.*

ISBN 2-7604-0464-1

Dépôt légal: deuxième trimestre 1994

IMPRIMÉ AU QUÉBEC (CANADA)

ANNE RICHER

PIERRE BOURQUE

PORTRAIT DE L'HOMME

Stanké

1

UN AUTRE
PETIT BOURQUE

«Maturité de l'homme: cela signifie avoir retrouvé
le sérieux que l'on mettait dans ses jeux d'enfant.»
NIETZSCHE

Le monde peut bien s'écrouler, la Terre s'arrêter de tourner, la journée commence bien pour Marcelle Girard, mariée depuis près de quatre ans à Joseph-Benoît Bourque. Un Joseph-Benoît qui demande à son père de faire circuler la nouvelle; le bouche à oreille est encore le moyen le plus efficace, car bien peu de gens ont le téléphone à cette époque.

— Le travail est en marche, ça s'en vient, p' pa, vous allez être grand-père à nouveau. Avertissez les autres!

Après une semaine de fausses contractions, des petits pincements caractéristiques au bas des reins annoncent l'événement. C'est leur deuxième enfant. Le premier, Jean, a 21 mois. Il est vigoureux et beau, un garçon qui sait ce qu'il veut et martèle de ses petites jambes à longueur de jour le plancher du troisième étage, au 6321 de la rue d'Iberville, dans la paroisse Saint-Marc à Montréal. Un petit frère ou une petite sœur arrivera bientôt. Le garçon ne sait pas encore, puisqu'il dort à poings fermés chez ses grands-parents paternels à qui on l'a confié, que c'est ce matin-là.

Un grand souffle d'énergie a balayé la maison, comme dans tout événement annonciateur de changement majeur. Marcelle a repassé, plié, rangé le linge. Le prélart de la cuisine frotté à genoux brille comme un sou neuf. Les planchers encaustiqués, la maison embaume de propreté. La jeune femme se fait un point d'honneur d'être une bonne ménagère, une épouse dévouée.

Marcelle est prête depuis plusieurs semaines. La layette du bébé, l'ordinaire d'un nouveau-né se trouvent bien en évidence sur la commode. Les petites camisoles bleues sont celles de Jean. Si c'est une fille, elle a prévu quelques vêtements nouveaux, blancs. Elle compte bien garder l'enfant près d'elle dans la chambre durant les premières semaines; il va dormir dans un moïse doublé de dentelle.

Tard dans la soirée la veille, elle a ressenti cette fois les vraies premières contractions de cette naissance attendue. Il y a eu des temps d'arrêt, des accalmies au cours desquelles elle a pu se laisser aller au sommeil, reprendre des forces.

Le 29 mai 1942: le printemps montréalais est bien installé, l'orme devant la maison a fait ses feuilles et l'air du matin est déjà rempli d'une douceur extrême.

La ville s'éveille peu à peu. Quelques automobiles noires et pétaradantes, haut perchées, circulent déjà. Les travailleurs matinaux, pressés, distraits, se fondent dans le petit matin. Sur le pavé de la rue d'Iberville, résonnent les pas ferrés des chevaux: le laitier est à l'œuvre avec son chargement brinquebalant sur sa charrette de bois. Et le cliquetis des bouteilles de verre qui s'entrechoquent annonce de loin son arrivée.

Benjamin Bourque, le beau-père de Marcelle, est le laitier du voisinage. Ces derniers temps, sa belle-fille commençait à souffrir des premiers coups de chaleur de la saison et il lui semblait qu'elle se penchait, bougeait avec plus de difficulté chaque jour.

Le cœur battant, il grimpe l'escalier de bois qui mène au troisième étage de ce triplex typique de cette époque montréalaise et dont les murs extérieurs sont faits de briques ocre rouge. Il reprend les bouteilles de lait vides placées sur les balcons depuis la veille et les remplace par du bon lait frais, surmonté d'un col de crème, qu'il faut vite aller mettre à l'abri dans la glacière.

La brise matinale souffle le rideau de tulle de la fenêtre ouverte. L'arrêt du tramway numéro 95 qui va jusqu'à Jean-Talon est juste devant la maison. Marcelle n'entend pas le grincement familier des freins sur les rails.

À quelques rues de là, au Jardin botanique, le frère Marie-Victorin arpente, contemplatif, les allées des premières floraisons. Marcelle adore les fleurs, les plantes; c'est un peu de campagne qu'elle entretient avec amour. La maison en est remplie. Une maison douce qu'elle a aménagée modestement mais à son goût, im-

Le frère Marie-Victorin herborisant.

primant dans tous les coins les preuves de son imagination et de son sens de l'organisation. C'est là qu'elle
a choisi de mettre au monde son deuxième enfant.

Aux petites heures du matin, bien avant le laitier,
l'infirmière de la compagnie d'assurances La Métropo-
litaine et le docteur Joseph Arpin, mandés d'urgence
par Joseph-Benoît, se sont installés dans la chambre du
couple. De la vieille sacoche noire en cuir érodé placée
sur la table de chevet pour plus de commodité, s'échap-
pent le stéthoscope, de la gaze, des forceps. À tour de
rôle, ils surveillent le pouls et les contractions et s'as-
surent du confort de la patiente.

— Tout va bien se passer, rassurez-vous. Un deuxième enfant est d'ordinaire plus facile à mettre au
monde qu'un premier.

Au cœur du grand lit nuptial logé dans la partie avant du salon double de ce logement de quatre pièces et demie, Marcelle est allongée, ses fins cheveux châtain clair et bouclés épars sur l'oreiller blanc. Le teint pâle. Les yeux clairs mis en lumière par de légers cernes. Les contractions sont rapprochées, régulières, de plus en plus fortes. La jeune mère ne pleure pas. Elle ferme un moment les yeux, reprend son souffle. Dans son regard passe l'ombre des questions éternelles des mères: Comment sera l'enfant? Que deviendra-t-il?

La main de son mari dans la sienne est moite et douce.

— Comment te sens-tu? lui demande-t-il en posant un baiser sur son front.

Il n'est pas aussi calme qu'il veut bien le laisser croire. Comme il est attendrissant! Elle le regarde et le trouve beau, ce grand jeune homme à la fine moustache. Il est bon avec elle. Solide, il inspire confiance. Ils ont toute la vie encore pour savourer leur jeune bonheur. Marcelle ferme les yeux à nouveau, elle veut emprisonner ce moment de grâce.

Le docteur Arpin l'encourage pour un dernier effort.

Tout va maintenant très vite.

Il n'y a plus rien pour arrêter la débâcle, la délivrance.

L'infirmière souffle avec elle. Elle tient sa main.

Au bout d'un moment qui semble une éternité, le médecin tend, triomphal, à bout de bras, un nouveau-né vagissant et hurlant.

— C'est un garçon!

Le cri du petit nouveau déchire l'air du matin. Il a bonne voix, c'est rassurant. Un premier souffle toujours aussi fragile et aussi émouvant! Comme si c'était celui du premier homme de la Terre.

Le corps de Marcelle, après la tempête, est enfin calmé.

Le médecin et l'infirmière s'exclament devant ce bébé ardent et joufflu de huit livres et demie. À la fois ému et soulagé, Joseph-Benoît ressent le bonheur tranquille d'un travail bien fait.

De la mère au fils, du fils à la mère, s'installe déjà, mystérieuse et secrète, une sorte d'osmose qui est le début de leur tendre secret. Elle l'a reconnu, il lui ressemble!

Au cours de l'avant-midi, grand-maman Parmélia a ramené le petit Jean chez lui. Il a eu la permission de s'allonger près de sa mère, de regarder et de toucher celui qui deviendra le principal compagnon de jeu de ses premières années: son frère Pierre.

Jean n'a pas fini de voir grandir la famille. Six autres enfants s'ajouteront, en moyenne à tous les deux ans, après la naissance de Pierre: Claudette, Louise, André, Gisèle, Jacques et Paul.

Dans les conversations d'alcôve, tranquillement, une autre idée de la société moderne s'infiltre: celle d'avoir un peu moins d'enfants. Car c'est le destin inéluctable des couples de ce temps-là, destin dont la source est à la fois religieuse et sociale. Joseph-Benoît l'avoue: «J'étais prêt pour douze. J'acceptais les enfants que la Création nous donnait.»

Les origines

Le père de Pierre Bourque, Joseph-Benoît, est né à Montréal dans le quartier Rosemont, en 1916, au beau milieu de la Première Guerre mondiale.

Les grands-parents, Benjamin Bourque et Parmélia LaSalle, avaient les premiers quitté L'Assomption, terre ancestrale des Bourque depuis le XVIIIe siècle, pour venir s'installer et travailler sur une ferme montréalaise vers 1910. Benjamin est devenu laitier et a exercé ce métier pendant plus de 40 ans. Plusieurs de ses fils ont assuré la relève.

La lignée prend sa source en Acadie, à Port-Royal dans la baie de Fundy en Nouvelle-Écosse, vers 1643. Antoine Bourg s'installe avec sa femme sur la rive nord de la rivière de Port-Royal. Son nom est même donné au Village-des-Bourg, situé au nord-ouest du fort de Port-Royal. Le recensement de 1671 fait état de:

«Antoine Bourg, laboureur, âgé de 62 ans, son épouse Antoinette Landry, 53 ans, 12 bêtes à cornes, 8 brebis, 4 arpents de terre.»

Par le recensement de 1693, on apprend qu'Antoinette Landry, veuve sans doute, vivait avec son fils, Abraham, à Port-Royal. Abraham épouse à son tour Marie Brun. Il entreprend une carrière politique et, le 16 septembre 1727, il est élu député de Rivière-Annapolis. Il fut même délégué politique des Acadiens auprès du gouverneur Philipps de Nouvelle-Écosse.

Leur fils Joseph Bourque fut déporté à Boston, rétabli à L'Achigan puis à L'Assomption en 1767, où il s'installa avec sa femme, Marguerite Mireau. Leurs descendants dès le XVIIIe siècle y prirent racine et se répandirent ensuite dans la région de L'Assomption et de Saint-Gérard. Il y eut Jean-Baptiste, marié à Marie Longpré; plus tard, François marié à Aglaé Ritchotte et, finalement, Urgel Bourque et Émilia Drolet.

C'est leur fils Benjamin qui change le cours du destin de ses descendants en immigrant vers Montréal au début du siècle. Il s'installe dans le quartier Rosemont où il exerce le métier de laitier durant 40 ans. Dans les annales de la petite histoire familiale, on relate qu'à sa retraite, dans les années soixante, le curé de

Joseph-Benoît et Marcelle Bourque.

la nouvelle paroisse Sainte-Gemma créée par le cardinal Paul-Émile Léger l'a nommé sacristain.

Montréal, au moment du recensement de 1941, l'année qui précède la naissance de Pierre Bourque, est une ville animée de 1 000 000 d'habitants, chiffre magique, dont près de 700 000 de souche française. La grande majorité vivent dans l'est en communauté serrée, comme dans un village. La métropole n'échappe pas à la misère et traverse difficilement les années de guerre et d'incertitude. Le peuple vient de subir la dure épreuve économique des années trente. Le chômage est le lot quotidien de milliers de pauvres gens, pères et mères de famille qui doivent tout tenter pour survivre.

Cependant, l'amélioration générale des conditions de vie semble tout de même atteindre la métropole: un peu plus de confort, la grande majorité des habitants bénéficient de l'eau courante, de l'électricité, et même du téléphone pour un peu moins de la moitié d'entre eux. Les mesures d'hygiène, les grandes vagues de vaccination commencent à avoir un effet direct et positif sur le taux de mortalité infantile.

Les enfants Bourque arrivent en ce monde en un temps où ils ont toutes les chances de survivre. Un destin renforcé par l'héritage à la naissance de la nature robuste de leurs parents.

Une histoire d'amour

Cette belle fille de 19 ans qu'il a rencontrée au cours d'une noce le fait rêver. C'est le coup de foudre. Joseph-Benoît Bourque a 17 ans. Il est du genre déterminé et audacieux. Joli cœur, patient, il sait ce qu'il veut. Celle qu'il convoite est son aînée de 2 ans. Elle est déjà une femme.

Le problème dans l'immédiat pour l'impétueux Joseph-Benoît, c'est que Marcelle a un petit ami!

«J'attendrai», se dit-il, sûr de son choix, des élans de son cœur. Les parents de Marcelle Girard sont venus de Lévis tenter leur chance dans la grande ville. Avec armes et bagages, leur bonne volonté et une famille de 17 enfants, ils se sont installés dans la paroisse Sainte-Cunégonde où Marcelle, l'avant-dernière de la famille, est née. Leur père est cordonnier dans la paroisse Saint-Stanislas et jouit d'une réputation enviable de savoir-faire et de compétence. Il parvient à chausser les pieds les plus difficiles.

Les rencontres familiales des Girard prennent l'allure de rassemblements monstres. On a le sens de la fête, le moindre prétexte permet de réunir tout le monde. C'est animé, on joue aux cartes. Les filles se mettent spontanément au piano et chantent, leurs voix entraînant petits et grands.

Deux ans plus tard, l'attente a été fertile, le premier amoureux de Marcelle a disparu. Dans quelles circonstances, l'histoire ne le dit pas! Joseph-Benoît ne s'est pas lassé d'attendre. Récompensé, il a la place libre et peut espérer épouser celle qu'il imagine déjà comme la mère de ses enfants. Ils se fréquentent assidûment durant plusieurs mois. Joseph-Benoît, indépendant et fier, propriétaire d'une automobile dès qu'il a su conduire, lui offre de longues balades sentimentales à bord de sa Dodge 1936 rutilante.

On surprend souvent entre eux ce regard que les amoureux s'échangent, chargé de douceur et de désir. Leurs parents voient d'un bon œil cette union. Le mariage est célébré le 25 juin 1938. Une belle journée d'un bel été prometteur.

Joseph-Benoît, qui a été un certain temps laitier comme son père, nourrit d'autres ambitions. Il s'oriente vers la formation de pompier au Service des incendies de la Ville de Montréal. C'est un métier qui a du panache et du prestige, un rêve d'aventure, de dévouement qu'il nourrit depuis longtemps. Mais ce métier offre surtout une sécurité qui n'est pas négligeable quand on devient père de famille.

— Avec peu d'argent, on était raide pauvres, on s'est quand même bien débrouillés, se souvient-il.

La formation durait deux ans. Au cours des années, le jeune pompier dynamique est affecté dans la plupart des casernes de l'ouest de la ville; sa compétence comme chauffeur le rend indispensable.

Son ambition cependant est raisonnable: il veut jouer son rôle de pourvoyeur le mieux possible, assurer le confort et la sécurité financière de sa famille.

Débrouillard, entreprenant, il fait une jolie carrière de lieutenant de pompiers à Montréal puis démissionne en 1953 pour se lancer, à son compte, dans la construction domiciliaire. Sa compagnie portait le nom de J.-Benoît Bourque ltée.

En 1957, il tâte de la politique, sous l'impulsion de son ami Jean Drapeau candidat à la mairie, et est élu conseiller municipal dans Rosemont.

En 1965, encore conseiller à Montréal, il abandonne la construction pour accepter le poste de premier directeur de pompiers dans une ville nouvelle issue du regroupement de plusieurs municipalités: Laval. Le quartier général était situé à Sainte-Rose.

Il a quitté la politique en 1970. Il a pris sa retraite comme pompier en 1981.

Un nouvel enfant s'ajoute à la famille Bourque environ tous les deux ans. La nécessité de trouver une maison plus grande se fait sentir rapidement. Marcelle et Joseph-Benoît choisissent d'aller vivre à côté du grand-père Benjamin, au 2672 de la rue Holt, un duplex situé entre la 2e et la 3e Avenues à Rosemont. Pierre Bourque vit donc là, au deuxième étage, de l'âge de trois à huit ans.

En 1950, le petit Pierre pose en tricot rayé avec ses frères et sœurs.

La Ville vendait des terrains pour quelques centaines de dollars, presque la somme dont ils disposaient. Ils décident d'acheter le terrain vacant d'à côté et d'investir. Joseph-Benoît, qui mijotait déjà depuis longtemps de construire une maison, saisit l'occasion. Une fois la maison terminée, un de leurs voisins la convoite et leur offre 14 000 $. Une jolie somme pour l'époque! Et un honnête profit pour Joseph-Benoît qui a tout fait de ses mains.

Joseph-Benoît continue sur sa lancée et construit le 2857 de la rue Holt, où Pierre Bourque va habiter jusqu'à l'âge de 12 ans. Puis, de 12 à 15 ans, il habite le 2950.

Les Bourque sont un peu nomades dans leur propre quartier! Mais c'est toujours le même environnement, les mêmes ruelles, les mêmes voisins pour la marmaille. En compagnie d'enfants de son âge, Pierre leur joue des tours parfois; ils guettent par la fenêtre, en riant, les taxis qu'ils ont fait venir pour rien. Ou alors il sonnent aux portes et se sauvent. Rien de bien méchant.

La famille, grand-père, oncles, tantes, n'est pas loin et veille au grain. Dans cette sécurité affective, le temps s'arrête, on n'est pas loin de croire au bonheur.

Joseph-Benoît Bourque a construit des maisons jusqu'à l'âge de 70 ans, et ce, dans plusieurs quartiers. Ses enfants le voyaient dès qu'il rentrait à la maison, ils s'en souviennent, troquer quelquefois l'uniforme des pompiers pour la salopette du menuisier.

Le temps des images

Les années de la petite enfance de Pierre Bourque sont des années heureuses, sans histoires, de préparation. Il a sous les yeux l'exemple d'un père actif, viril, vaillant; d'une mère équilibrée, forte et sensible.

Par l'embrasure de la porte de sa chambre, il a vue sur la cuisine, il surprend souvent ses parents le soir, le nez dans leurs comptes, discutant ou roulant des cigarettes.

La cuisine des Bourque, comme celle de tous les Québécois de l'époque, est au centre de la vie. Parfois, les hommes adultes de la famille se réunissent au sous-sol pour boire un coup sans les femmes. Une sorte de rite viril. Jouent-ils à l'argent? L'enfant n'en a pas conscience, mais on peut imaginer que c'était le cas.

Dans cette maisonnée animée, la mère est un pilier, une force. Organisée, elle est là au fourneau, à la table, à la lessive. Elle coud, elle court. Elle est partout. Et elle chantonne. On la surprend parfois, dans quelques rares moments de tranquillité, à lire le journal du jour ou un roman d'amour.

Elle assure la discipline quotidienne, mais elle n'est pas sévère. Pourquoi le serait-elle? C'est une femme douce. Ses garçons passent beaucoup de temps ensemble, à deux c'est moins inquiétant et de plus leur mère a une confiance absolue en eux. Une promesse c'est une promesse: ils reviennent toujours à l'heure dite. Et Pierre n'aurait pas le moins du monde envie de faire du chagrin à cette mère tendre qui le comprend si bien.

A-t-il été préféré? «Non», se défend-il. Mais ses sœurs ont ressenti l'attitude de leur mère quelquefois comme une différence. Il avoue, candidement du reste, que sa mère sachant d'avance qu'il n'aimerait pas le menu d'un repas lui préparait souvent «un petit quelque chose» pour lui tout seul.

Il leur arrive bien, comme à tous les enfants, d'avoir des moments où ils ont envie de taquiner, de jouer des tours. Mais ce n'est pas dans leurs intentions, ni leurs mœurs, ni même leur tempérament d'être des garnements.

Pierre fait preuve de bonnes manières: il est courtois, respecteux comme un enfant bien élevé. Des qualités absolues pour la fierté de ses parents, sa mère en premier lieu. Son père, sévère, ne laisserait passer ni l'irrespect ni l'impertinence.

Les garçons ont depuis longtemps apprivoisé leur ruelle, leur rue. Ils explorent donc la grande ville à pied ou en tramway, les fins de semaine et les jours de congé. Ils connaissent tous les recoins, cours à rebuts, terrains vagues, les autres ruelles, tous les parcs.

Comme des explorateurs, l'enfance est leur lieu de découvertes, de plaisirs, d'aventures. Certaines images s'inscrivent déjà en Pierre, des impressions aussi. Celles des décors de pierres, de jardins, des bords de rivière.

Il est physiquement actif, souple et robuste. À l'âge des sports et des jeux, il les pratique tous avec un égal plaisir, une égale facilité. Ni gouailleur ni batailleur, il ne cherche pas à se colleter aux autres pour prouver sa force. Il veut gagner, certes, mais vérifier d'abord ses capacités. Aller jusqu'où peuvent le mener ses forces. Le corps et les sens en alerte. Apprivoiser la vie en équipe, en société, créer des liens, vivre au milieu des siens. Vivre tout simplement. Avec appétit.

Le samedi matin, Jean et Pierre vont à pied jusqu'au Jardin botanique pour visionner les films qui y sont présentés à l'auditorium. C'est le bonheur total, une sorte d'évasion dans le rêve. Ils découvrent, en compagnie de centaines d'enfants de leur âge, avec un fol enthousiasme, la magie des images qui s'animent: ils n'ont pas oublié *Bambi*, ils s'extasient devant des images vivantes, en noir et blanc, de la nature et des montagnes de Charlevoix, les premiers documentaires qui leur parlent de la grandeur de ce pays, de sa diversité, de ses paysages. Le monde prend subitement d'autres reliefs que ceux de la ville où ils ont vu le jour.

C'est un souvenir précieux. La complicité enfantine et fraternelle est soudée par ces séances du samedi, dans ce coude-à-coude silencieux où les frères partagent les mêmes émotions. Et que de choses ensuite à raconter à la maison!

Avant de franchir les limites du Jardin, de revenir à pied ou d'attraper le premier tramway qui passe, Pierre Bourque jette un œil à la ronde sur les jardins extérieurs, perçoit peut-être les lourds parfums d'été émanant de fleurs écarlates ou jaune soleil dont il ne connaît pas les noms. Il saisit au vol, furtivement, pressé par le goût de courir et de jouer, l'ordonnance des plantes, des fleurs, des arbres sans en comprendre le sens profond.

Juillet 1949: Jean, Pierre, Claudette, Louise et André sont au Jardin botanique.

Mais quelle ombre plane sur les yeux pers du jeune garçon trop sensible pour ne pas croire en la beauté et vouloir la saisir? Le destin a des détours qui, mis en lumière plus tard, prennent toute leur signification.

Leur imaginaire est goulu. Et leur énergie au diapason. Jean a 11 ans, Pierre 9 ans. Bouger, regarder, s'en mettre plein la vue, jouir des choses nouvelles. Ils le font ensemble, des mauvais coups, comme des bons.

Le dimanche, en l'absence de leur père, ils vont voir jouer et applaudir les Royaux, l'équipe de base-ball célèbre de Montréal, bien avant les Expos.

Les enfants de ce temps-là ont leurs idoles sportives au hockey et au baseball, mais aussi à la lutte, un sport où se confrontent des hommes forts, sortes de personnages mythiques. Le lutteur Yvon Robert est un de ceux-là et les garçons ne manquent pas une occasion d'aller l'encourager et de huer tous ses adversaires.

Durant les beaux jours d'été de leurs vacances scolaires, avec quelques modestes économies, ils se rendent au parc Belmont où les manèges les étourdissent et les enchantent. Ils partent en groupe avec des garçons de leur âge, en quête d'émotions fortes. Dans cette atmosphère de fête foraine, la grande liberté, ils apprennent le sens de la fête, le mouvement, la géographie. Ils peuvent aussi comparer leur adresse mutuelle à la carabine, aux fléchettes, et revenir à la maison les bras chargés d'oursons et de babioles comme autant de trophées témoignant de leur bonne étoile.

Un bonheur tranquille, souverain. À peine troublé par les grondements maternels occasionnels pour de petites bêtises. Tout est beau.

C'est petit à petit que Pierre Bourque apprivoise aussi la face cachée des choses, les chagrins, les peurs. Tout semble pourtant immuable. La ruelle, par exemple. Derrière la maison, l'écurie. Les chevaux font encore partie du décor quotidien de ses premières années: des bêtes familières, lourdes et placides, qui sont bien utiles en attendant la venue des camions motorisés de livraison de lait.

Un jour, le grand-père Bourque doit abattre son cheval, son vieux compagnon de route qui arrive au bout de sa vie. C'est un geste banal, habituel et iné-vitable en ce temps-là. Une balle à la tête.

Mais l'enfant a vu le soubresaut de la bête, ses yeux couleur de mort. Il s'en souvient encore. Une émotion-détonation vive.

Si Pierre Bourque laisse couler sa mémoire en quête des premières sensations, il retrouve spontanément les promenades sur la 3ᵉ Avenue vers l'école Brébeuf. La patinoire et les jolies filles du quartier avec leurs petites jupes de feutre sur d'inélégants collants à côtes bruns.

On patine en se tenant par la taille, au son du *Beau Danube bleu*. Les fillettes ont l'air de fées. Leurs rires sont autant de jolis papillons de nuit.

Il se souvient des retours à la maison entre chien et loup, des pieds gelés. Même si c'est moins poétique. Même si on se défend bien d'être douillet! Car on est homme à 10 ans. Sitôt franchi le seuil de la cuisine, il allume le four de la cuisinière, place ses pieds sur la porte pour les réchauffer.

Et ferme les yeux. Le cœur fond, la vie est simple et douce. Maman est là. Une tartine, un bol de lait ou un morceau du bon gâteau au chocolat dont elle seule a le secret vont fignoler cet instant de bonheur.

Un imaginaire qui fleurit

Au cours des années scolaires du primaire, les enfants Bourque sont plus souvent qu'à leur tour de bons élèves qui réussissent très bien. Pierre travaille fort. Il a une curiosité naturelle, un goût d'apprendre et une bonne mémoire qui lui rendent tout apprentissage relativement facile. Il ne se fait pas prier pour travailler; leçons et devoirs sont expédiés afin de reprendre ses jeux le plus rapidement possible. Il excelle en français, sa matière préférée; dictées et compositions exécutées avec une calligraphie soignée.

La maîtrise de la langue est une découverte qui va se développer en véritable passion. D'abord, la lecture qui lui ouvre le monde. Et plus tard, l'écriture qui lui déploie les ailes et lui permet de peaufiner sa pensée.

L'imaginaire s'alimente à son environnement. Les premières années la ville, et adolescent la campagne. Il a besoin d'en apprivoiser les contours, les couleurs, les sons et les odeurs. D'en prendre possession.

Son regard emprisonne les nuages qui filent, les premières hirondelles du printemps, les saisons. Il collectionne les impressions, les images. Avec ferveur.

Sérieux, questionneur. Chaque jour qui naît, des forces nouvelles s'installent. Enclin à une certaine rêverie, il n'est ni dissipé ni agité. C'est plutôt un petit contemplatif heureux des personnages qui meublent son monde intérieur.

Il aime déjà la solitude. C'est un état tranquille qui lui fait parfois préférer regarder couler l'eau d'une rivière, celle d'une rigole, que courir avec les autres. Il est bien aussi avec les autres, sa famille, ses compagnons de jeu. Leur présence le rassure.

En 1957, son père se présente comme conseiller municipal dans Rosemont au sein de l'équipe de Jean

Drapeau, son compagnon d'enfance, avec qui il était dans la même classe à l'école Brébeuf.

— On se voyait aux récréations. Je ne pouvais pas aller chez lui, ma mère ne me laissait pas traverser les rues, dit Jean Drapeau.

Cette décision cause un certain remue-ménage dans la famille. Mais l'aventure ne laisse pas de trace négative ni même significative.

Joseph-Benoît est élu dans son quartier lors de cette première bataille politique. Il doit vivre ce premier mandat dans l'opposition puisque c'est Sarto Fournier qui remporte l'élection par une mince majorité sur Jean Drapeau. On imagine assez bien la fierté chez les Bourque de cette victoire, mais aussi de cette visibilité soudaine. Leur père est devenu, localement du moins, une célébrité.

Il lui faudra attendre les élections suivantes, celles de 1960, pour retrouver, sous la bannière du Parti civique de Montréal, à la fois son maire et son ami. Joseph-Benoît Bourque a choisi de se lancer dans l'arène politique «d'abord et avant tout pour rendre service à mes concitoyens». Il a occupé son poste de conseiller durant 14 ans.

Mais le pompier Bourque était encore plus populaire:

— C'était notre héros de le voir monter sur son échelle, raconte Jean Drapeau.

De la sixième à la neuvième année scolaire, Pierre est pensionnaire au collège Laval à Saint-Vincent-de-Paul. Le pensionnat est une règle pour la majorité des enfants Bourque. Ce n'est pas une règle obligatoire cependant. Chacun des enfants manifeste ses désirs, ses besoins, et s'il le faut les parents ajustent leurs décisions. C'est ainsi qu'au cours de l'été, trois ans plus tard, Pierre a demandé à être externe. Pour lui, en dehors du fait qu'il est bon élève au plan académique, ce fut une période de sports et de jeux, de développement physique. Il se plie, docile, à la discipline. Il reçoit les enseignements de ses maîtres avec sérieux.

Ces années de prépuberté ne laissent pas de traces profondes. Pendant les grandes vacances, la famille passe parfois des étés entiers à Repentigny ou à Saraguay, dont Pierre n'a pas gardé non plus un grand souvenir. Il se souvient des voyages-pèlerinages en automobile, qui eux sont plus marquants: Québec, Sainte-Anne-de-Beaupré, Rigaud, le Cap-de-la-Madeleine. Le bout du monde.

Si les voyages forment la jeunesse, il ne sera pas dit qu'ils ne formeront pas aussi sa jeune âme, puisque l'objectif est toujours d'aller se recueillir sur les lieux privilégiés de la piété québécoise.

Pierre a gardé un souvenir vif de ces expéditions à quatre et même cinq enfants dans l'auto conduite par leur père. Des embouteillages, des routes cahoteuses, des nombreuses crevaisons, où là on pouvait voir assis, à moitié cachés dans les talus, une horde d'enfants ankylosés mais sages, sous la bonne garde de leur mère pendant que leur père pestait, suait, s'éreintait à changer le pneu.

Dès 1955, la famille s'installe tous les étés à Sainte-Rose dans un chalet que le père a loué au bord de la rivière des Mille Îles. La famille Bourque compte déjà ses huit enfants.

Pierre a 13 ans. Pour céder sa place aux autres, il passe les nuits d'été douces et chaudes sur la véranda, heureux de combler son besoin d'une certaine solitude indépendante et fière. Ce camping improvisé lui plaît; c'est un plaisir à la fois sportif et mystique. La profondeur de la nuit, l'éclat et le mystère des étoiles, la symphonie cacophonique des grenouilles ont de quoi largement alimenter ses pensées. Il s'endort bercé par la brise.

Il amorce la puberté, sa sensibilité est écorchée vive. Confusément, il prend conscience d'étranges forces en lui, de ses ailes qui veulent se déployer. Avec une lucidité qui le trouble, il jette déjà un regard différent sur les gens qu'il aime, qui ont été jusqu'ici au cœur de sa vie.

Si leur père n'est pas rentré avant l'heure prévue le soir, les enfants ont congé de la tradition immuable du chapelet en famille, récité à la radio par l'évêque de Montréal, Mgr Paul-Émile Léger.

Leur mère qui les connaît bien devine qu'ils ont plus envie de jouer que de réciter le chapelet! Elle sait que son mari ne serait pas content, qu'il qualifierait cette attitude de laxisme. Elle a envie tout simplement, elle aussi, de tranquillité, de ne pas être bouleversée tout le temps par des règles rigides.

Il semble à Pierre que rien ne soit plus tout à fait comme avant, une nuit où il entend pleurer sa mère révoltée et en colère contre son mari. Il n'a jamais pensé que ses parents pouvaient se disputer. C'est la première fois qu'il en prend conscience. Il se souvient combien il a eu envie de la défendre, de la protéger. C'est ainsi que Pierre la découvre et la comprend le mieux: fragile et forte à la fois. C'est là que lui est révélée cette mère qui est aussi femme entière, nourrissant des rêves secrets.

C'est à Sainte-Rose encore, il a 14 ans, qu'il rencontre Lise. L'amourette première de Pierre émerveillé, troublé. L'amour porte de doux baisers et de longs silences. Ils se voient le soir en cachette, car leurs pères surveillent, gardiens sans faille et sans reproches de la moralité de leurs enfants. Mais dans la nature ardente de Sainte-Rose au clair de lune, les soirs d'été, dans le tintamarre des reinettes, le bruissement des grands feuillus, dans la crainte et l'émerveillement, on ne peut pas empêcher le torrent de passer ni la vie de crier.

Il y a plus grave que l'éveil de la sexualité, d'une certaine façon. Plus grave et plus insaisissable. Plus suspect encore aux yeux des parents. Plus dangereux.

Comment maîtriser un esprit qui s'envole? Pierre lit. Beaucoup. Les influences scolaires, l'exemple de certains camarades, sa curiosité naturelle le portent vers les poètes: Rimbaud, Verlaine, Baudelaire. Leurs vers s'infiltrent dans son jeune esprit exalté. Sa table de nuit croule sous le poids des philosophes.

En dehors des influences scolaires, il s'initie seul, dans un milieu familial à qui tout cela est étranger, à la vie intellectuelle, à la magie des idées. Il met des mots sur sa quête d'absolu. Il découvre, dans les beaux textes classiques, des résonances à ses préoccupations, à ses inquiétudes. Les grands écrivains le comblent d'un bonheur profond.

Plus il avance, plus il se sent différent, et sa différence creuse le fossé. Camus et Sartre l'entretiennent d'un monde nouveau.

Il change de cap. De maîtres.

C'est l'éblouissement.

Mais en même temps aussi naissent les tourments, les questions existentielles.

2

UNE FORCE
DE LA NATURE

Avec le temps, voici ce qu'il a appris:

— Le pire serait de me laisser au milieu de la plaine!

Il n'a pas besoin de fermer les yeux, il imagine la forêt, là, au bout de son bras, à portée de mots.

La voix est cachottière. Elle est murmurante. On y entend le vent.

Les yeux en bas, les yeux en haut. Découvrir les plantes: l'orchidée, les champignons, la trille qui fleurit. Découvrir les arbres: reconnaître la pruche ou les grands panaches des trembles. Marcher, faire craquer les rameaux morts et se trouver au beau milieu d'une grande forêt, tendre l'oreille, entendre le ruisseau, le suivre et trouver la rivière, tomber sur le lac.

— Je n'aime pas la plaine... J'aime moins les champs.

Un champ doit être valonné, fleuri. Un champ nous fait découvrir les fleurs, mais un champ doit aboutir à la forêt. Il ne doit pas être infini, mais fini, adossé au bois. C'est un prélude d'appel à la forêt.

L'Ungava est un paysage de nudité absolue. Voilà des vallonnements qui cachent des dépressions, des combes, des taches où il y avait des mélèzes. Quelques plantes.

— Il faut que je trouve quelques plantes, sinon je suis très malheureux.

Fuir la monotonie, l'immobilité des choses. Celle des êtres.

— J'aime la mer quand on voit des îles… Je n'aime pas le désert.

Il est déjà allé à l'orée du désert. Une mer, un désert, le même mystère. Sans l'envie d'y entrer. Sans l'envie de soulever le voile.

Pour lui, c'est d'abord la forêt. Les grands arbres nobles, hauts comme des cathédrales, hauts vers le ciel. Ces grands fous de feuillus au mois de mai. Mais:

— Je ne pourrais pas vivre juste avec une force.

Il lui faut les deux: la forêt et l'eau. Équilibre, dualité: *yang* et *yin*. La rivière, c'est la vie. La rivière, c'est la route. C'est le *yin*. C'est l'élément femelle, la source, là où les animaux vivent: les vautours, les canards, les hérons, les poissons. Mais aussi la pierre, la mousse.

Pourquoi les hommes ont-ils peur de la forêt? Incapables de s'apprivoiser, ils ont peur d'eux-mêmes, de la nuit, de l'inconnu.

— Je n'ai pas peur de l'inconnu. J'aime la force.

Il s'est perdu déjà, pourtant. Ses repères sont verts et feuillus. Lui, si habile à tout identifier, à tout reconnaître, ne savait plus de quels peupliers il s'agissait ni à quel sentier appartenaient les bouleaux. La forêt profonde, comme une grande ville étrangère, avait ses mêmes détours, ses mêmes culs-de-sac. La lumière fut la rivière.

— Oui, la rivière, c'est le chemin.

Mais pour revenir aux arbres, ils lui décrivent l'histoire des hommes. C'est très important un arbre pour comprendre un homme. Sa lutte pour apprivoiser le climat. La manière dont il s'enracine et se protège.

— On est faits pour vivre ensemble... L'homme a reculé la forêt. On est en train de la tuer, on en a peur. La forêt, c'est la jungle, le danger sourd, le loup, la mort. Alors, on va à la plage. La plage est nue, remplie d'hommes.

Et sur les saisons?

Toute l'émotion va au printemps, toute la dévotion. S'il n'a vu, par inadvertance, ni les trilles, ni les érythrones, ni les sanguinaires, ni les hépatiques fleurir, s'il n'a pas vu le printemps du sous-bois, il perd son année entière, il ne sait plus de quel humus nourrir son âme. S'il peut les voir, il se sent bien.

À l'été triomphant, après l'explosion de vie et d'espoir, quand les choses s'installent, il prend du recul. C'est acquis. L'automne est trop violent, trop fugace. Il préfère celui du Japon, de la Chine, l'automne qui ne baisse pas les bras mais se donne, entier.

Quant au froid, il n'y a rien à dire, sinon qu'il est. Plus intense que Pékin.

Il faut attendre.

La fonte des neiges, le torrent, la débâcle.

La résurrection.

La naissance.

— Notre force, elle est là.

À la découverte des mondes

Au collège Laval, il a excellé au hockey, dans les sports en général, une formation physique s'inscrivant dans une suite logique d'apprentissages. Le jeu a été formateur.

Infiniment sensé, le jeune homme croit à la poursuite d'un autre idéal, plus élevé. «Il est temps maintenant, se dit-il au moment d'entrer au collège Sainte-Marie, d'exceller sur le plan intellectuel.» La coquille craque de toutes parts. Le vernis superficiel des jeunes années s'évanouit. La matière première de son éducation, comme une terre glaise durcie, ne résiste pas aux premiers coups d'ébauchoir donnés par des éducateurs intelligents et perspicaces, par des lectures variées, par ce qu'il observe, par ce qu'il vit.

Il veut façonner et inscrire au fond de lui des rêves profonds qui vont lui ressembler et l'animer. C'est du moins ce qu'il croit qu'il veut. C'est du moins ce qu'il ressent qu'il est.

Et voilà ce qu'il entreprend d'être. En y mettant une énergie toute neuve.

Les premières chansons de Georges Brassens scandalisaient les gens d'ici, catholiques, prudes, peu habitués aux propos gaulois. Sa poésie non conformiste et lubrique choquait les bien-pensants de la fin des années cinquante pas encore libérés du joug du péché. Et cette nouvelle chanson venait de France, avec tout ce que cela voulait dire de légèreté! La moindre allusion à l'amour physique faisait battre les cœurs adolescents mais brandir la croix en guise d'exorcisme chez les plus âgés.

Pierre Bourque a pourtant 18 ans, mais le jour où il apporte à la maison le livre du frère Untel est un jour de scandale à marquer d'une pierre blanche. «Le lointain Camus, encore, on ne le connaît pas», se disent les parents qui ferment les yeux sur des titres hermétiques: *L'Étranger*, *La Peste*, mais le frère Untel et ses *Insolences*! Le curé de la paroisse l'a dénoncé dimanche en chaire, c'est sérieux. On ne l'a pas lu, mais on se réfugie derrière cette condamnation arbitraire. Damnation!

Très tôt, l'adolescent Bourque ne s'est jamais privé d'écouter ni Brassens, ni Brel, ni tous les poètes, ni tous les écrivains qui réclament un monde nouveau, qui clament la liberté. La musique est un univers qui le fascine; les mots qu'il entend, qu'il fredonne, lui apportent des bouffées d'air frais. Les chansons deviennent une nourriture précieuse, indispensable, à la fois sur le plan intellectuel et sur le plan sentimental.

Les mots d'amour des chansons fondent en lui. La satyre et la tendresse de Jacques Brel le transportent. Les mots de rivières et d'hommes de Félix Leclerc l'excitent; tout cela l'atteint de plein fouet au sortir d'une enfance où les sens sommeillaient. À l'adolescence, ils sont culturellement, religieusement tenus en laisse.

À 15 ans, le grand garçon dégingandé, un tantinet énigmatique, est un torrent de forces vives. Mais elles n'ont pas encore pris corps. Le jeune homme cherche. Se cherche.

La petite enfance s'est évanouie depuis longtemps. La vie l'appelle. Elle est là qui palpite! Les incidents, les discussions acerbes, l'incompréhension de son entourage et particulièrement de son père, il accepte tout cela assez bien. L'adolescence fertile qui va lui révéler petit à petit le fond de son âme n'a pas chassé les relents de docilité ni de respect filial qu'il conserve au fond de lui.

Ce qu'il est, où il va, c'est son affaire. Débute une longue route tranquille. Car il est heureux malgré tout et armé d'une formidable envie de vivre. Il commence à reconnaître ce qu'il aime, ce qu'il veut fuir: il abhorre déjà l'intolérance, le conformisme, la superficialité. Notamment celle des verbiages oiseux.

Une longue écharpe noire autour du cou, quelques mèches de cheveux rebelles, il critique, en compagnie de ses copains de collège qui se posent les mêmes questions, la bourgeoisie, le capitalisme, avec un souverain mépris très... aristocratique.

On parle aussi des femmes et de l'amour, de guerre et de paix, d'avenir. Il veut d'abord comprendre. Cette observation froide, presque scientifique, l'amène à écouter ce que les autres ont à dire, à voir finalement les êtres sous un jour nouveau. À reconnaître leurs petits drames personnels, à saisir leurs mesquineries, leur roublardise. Tout n'est pas rond et doux et propre. Tout n'est pas noir ni blanc.

En même temps qu'il grandit, sa rue, son quartier se rapetissent.

Ce qui frappe au premier abord chez ce grand garçon qui pourrait être quelconque, c'est précisément ce qui l'anime. Même silencieux, même discret, effacé, on le remarque.

Déjà sa voix prend les accents qui la caractérisent aujourd'hui. Il chuchote plus qu'il ne parle. Sur le ton de la confidence. Des modulations vibrantes, des phrases à mots couverts, parfois des silences. Il entraîne son interlocuteur vers d'autres mondes. Plus intérieurs.

Déjà son corps prend ses formes d'homme. Il est mince, mais grand et robuste. On remarque, avant l'arrondi de ses épaules ou la solidité de ses jambes, d'abord et avant tout l'expression de son regard. Les yeux pétillent dans des tons couleur terre et mousse selon l'heure et la lumière. Ils prennent un peu plus d'ombre dans les moments de tristesse passagère. Ils ne cachent rien de la tendresse ni de l'attention profonde.

Le large front est couronné de cheveux fins, épars. Il est aisé de concevoir qu'il ne va pas les garder longtemps. La bouche est fine, gouailleuse et, s'il rit, c'est d'un grand éclat qui renvoie sa tête en arrière et lui donne pour quelques minutes encore du rouge aux joues.

C'est vrai qu'il n'a pas de patience pour les fadaises, pour le blabla, et si par malheur son interlocuteur est trop léger il détourne le regard. Ce qui est déjà un trait physique important, langage muet et éloquent. Une attitude tranchée et définitive. En vigueur encore aujourd'hui. La première excuse est bonne pour tourner les talons.

Il aime au collège les discussions de groupe, mais il préfère de loin les bavardages intimes où son pouvoir de séduction s'exerce le mieux. Il connaît déjà la force de persuasion irrésistible tapie au fond de lui.

En dépit de quelques écarts passionnés, une sainte colère lui faisant parfois utiliser des mots cinglants, il cherche, adolescent, à contrôler son feu intérieur.

Avec la complicité de sa mère qui lui donne une allocation hebdomadaire, il peut au fil des mois se constituer une bibliothèque enviable. On peut le voir régulièrement bouquiner à la librairie Tranquille, d'où il ressort chaque fois les bras chargés. C'est une nourriture dont il est insatiable.

Sa bibliothèque est son seul trésor, sa seule richesse. Avec bien sûr son tourne-disques. On remarque souvent, tard la nuit, un rayon de lumière sous la porte de sa chambre; il loge désormais au sous-sol de la maison que les Bourque habitent, sur la 21e Avenue, à Rosemont. Allongé sur son lit, il étudie. Ou il lit. Ou il rêve.

Sa chambre est un havre de paix, un repaire où il se sent à l'abri de l'agitation extérieure. Un lieu que ses parents respectent, qui le tient loin des invectives de son père, des reproches muets de sa mère. Non pas replié sur lui-même. Secret.

Il aime y recevoir ses sœurs qui viennent de temps en temps lui raconter leurs misères. Leurs rêves. Leur besoin d'évasion, plus difficile à assouvir pour les filles à cette époque. Elles acquièrent le droit de fouiller dans ses livres, de se rapprocher de son intimité. Il aime beaucoup cette complicité secrète alimentée des tourments de l'adolescence exaltée.

Leur grand frère Pierre si fort, si libre est un modèle. Elles ont l'impression, avec lui, d'accéder à la vraie vie. Il les écoute et les conseille avec une philosophie de modération et de sagesse.

Premières sorties dans les cafés, les boîtes de nuit. Le temps de l'ivresse et de l'exaltation. La bohème, les folles nuits, les amitiés, les amours passionnées. Le monde des idées et le monde de la nuit: les copains, la confrérie. Pierre, avec d'autres étudiants, refait le monde à la taverne *Saint-Régis*, qu'ils ont surnommée «la chapelle» dans l'espoir de confondre leurs professeurs jésuites. C'est le temps des premiers gallons de vin rouge, achetés à plusieurs et partagés dans les volutes des Gitanes. Si sa démarche au petit jour est chaloupée, c'est aussi de fatigue!

Le décalage est terrible entre les valeurs des parents et cette génération nouvelle qui fait sauter les murs. Le fossé se creuse.

Voilà que tout change. Et voilà que le père et le fils s'affrontent, s'isolent. Une guerre larvée, silencieuse mais dure. L'adolescent rebelle préfère poursuivre sur les voies nouvelles qu'il défriche. Sans renier son passé, il tourne des pages. Entre les deux hommes, l'incompréhension est une écorchure légère qui laisse ses traces longtemps.

Au collège, il est très présent dans les nombreux sports accessibles: la crosse, le football, le hockey. Bon joueur à la défensive, solide gaillard, son jeu est vigoureux, c'est une valeur sûre pour l'équipe. Il ne devient pas pour autant une vedette de hockey. Meneur naturel et calme, ce n'est pas sur ce terrain glacé qu'il trouve ce qu'il cherche.

On le trouve brillant. Il s'épanouit socialement, ne fait pas l'étalage intempestif de sa culture qui forcément s'élargit. Prudent, sauvage, il a besoin d'être apprivoisé avant de donner son opinion, de s'engager.

Sa solitude est une muse, on le sait, mais c'est en se colletant aux garçons de son âge qu'il s'affirme, qu'il mesure sa force. C'est toujours cette assurance tranquille qui impressionne, qui désarçonne aussi, à la maison ou à l'école. Et s'il n'est pas le boute-en-train du groupe ni de la famille, il participe volontiers aux activités proposées, se rallie aux suggestions de la majorité, mais ne les initie pas.

Sur le plan intellectuel, rien ne lui est étranger. Il glane. Il récolte. Ainsi, en littérature, il entreprend un travail sur Félix Leclerc et son œuvre. Le poète, qu'il rencontre à 16 ans à Vaudreuil, mythe vivant et attachant dont les mots s'enfoncent dans son âme, restera à jamais l'idole et l'inspiration de sa vie.

C'est une des caractéristiques de sa personnalité que de s'alimenter à toutes les sources du savoir. Il perçoit, reçoit, s'abandonne. Il s'arme.

Quelle est la place de l'homme, sa place à lui? Il cherche encore. Il lui reste bien des expériences à vivre.

Les étés au Jardin

En 1958, son frère Jean entre dans l'aviation. Pour gagner quelques sous, Pierre travaille avec son père durant tout un été à la construction des duplex de son carnet de commandes. Ce n'est pas un succès. On peut imaginer que le grand garçon se sent maladroit, même s'il ne l'est pas, qu'il est peut-être critiqué par son père. Quoi qu'il en soit, il comprend qu'il n'aime pas ce travail et préfère de loin celui de journalier qu'il vient d'accepter au Jardin botanique.

L'environnement du Jardin est plus près de ses goûts profonds. Travailler physiquement en plein air, c'est une pure joie! Doucement, petit à petit, il apprend le nom des plantes familières, reconnaît bourgeons, rameaux et feuillages. Son herbier personnel est modeste. Il en est aux balbutiements, il tâtonne, mais la nature de plus en plus éveille en lui de l'affection, une soif de connaître. Il entrevoit, pour le vivre en lui-même, le pouvoir pacificateur des plantes, il sent la nature profonde et consolatrice. Les journées de travail au Jardin passent très vite.

Au printemps, il a le réflexe naturel de se pencher sur les pousses tendres avec une admiration béate. Étourdi, ébahi par la beauté qui naît. Il tend le bras

vers le bourgeon sur la branche, le caresse du bout des doigts. Il marche durant des heures, seul, au cœur des bois ou de la ville. Quelquefois pour calmer son feu intérieur, d'autres fois pour se perdre dans la foule.

Il chantonne sans arrêt des refrains obsédants, des mots qui sonnent doux, il aime céder à la rêverie. S'il écoute les chansons de Félix Leclerc, il en reçoit les messages profonds des amours de forêts et d'hommes. Malgré leurs défauts. Leurs faiblesses mêmes sont attendrissantes.

Il lit Jean Giono. Comment pourrait-il ne pas rester pantois devant ces printemps décrits de façon éblouissante:

«Tous les arbres ont leurs fleurs à la fois. Il y a sur les eaux de larges marais de courges bleues.

51

Des rochers passent, chargés de vignes qui traînent comme des poils; des petites pierres rondes courent sous les herbes. Toutes les fleurs ont la santé du rouge. Les feuilles sont épaisses comme le bras. On entend les fruits qui mûrissent tous ensemble. Les grosses courges flottent sur la mer... Les montagnes pleurent de l'eau. Des fleurs aigres poussent dans le fond des ruisseaux. Les rochers s'arrêtent extasiés.»

C'est une étape charnière dans la vie du jeune homme né au printemps qui se sent fondre au moindre son de ruisseau qui gronde, éminemment sensible à la fragilité de l'existence, à sa poésie.

Sa mère, qui voue depuis longtemps un amour véritable aux plantes et aux fleurs, en entretient pas moins d'une cinquantaine dans sa maison. Son fils s'instruit un peu plus chaque jour, comme journalier au Jardin; il est de bon conseil. Complices. Elle l'écoute certes, mais elle a aussi ses recettes, ses secrets. Et des conseils de mère. Elle a les yeux clairs, les yeux de la même couleur que les siens, avec le même fond d'âme. Elle a remarqué les mains de son fils plonger dans la terre noire. Et avec quelle précaution, quelle résolution amoureuse il entend faire germer de nouvelles fleurs!

Lui n'est pas encore conscient de la passion qui s'enracine. Lui n'a pas encore entendu en lui le tumulte. Il n'a qu'une envie, bouger. Aller voir le monde ailleurs. Comparer les cultures et les gens. Vivre sous d'autres climats peut-être. En tout cas, affirmer son indépendance.

On ne peut plus l'enfermer; les barrières sautent une à une. Il sait, sa mère aussi, que le monde l'appelle, qu'on ne pourra jamais plus l'enfermer.

Ernest Villemaire

Son caractère est bien tracé, même s'il lui reste encore à fignoler, à peaufiner les acquis. Il ressent les influences familiales contraignantes, étroites. Il a envie d'être et de devenir ce qu'il sent confusément en lui. De prendre sa place.

Sa réflexion va aux sources. Il lit toujours, s'astreint à noter des pensées, il en remplit des cahiers entiers, qui le rejoignent et le décrivent bien. Des mots sur ses émotions. Des mots sur le bonheur. Son écriture en dit long sur ses états d'âme, la recherche d'absolu et de pureté qui l'habite.

C'est dans cet esprit, dans cette quête de donner un sens à sa vie, qu'il fait la rencontre de l'«oncle» Ernest.

Et découvre la nature. L'unique.

«J'irai dans les bois clairs où chantent les ramures,

Où roulent sur nos doigts les framboises trop
   mûres...»

Ces vers de jeunesse du poète Robert Choquette
ont de quoi le toucher.

— J'ai appris de lui, dit-il en parlant de l'«oncle»
Ernest, les poissons et les rivières, le comportement
des loutres et des castors, des plantes comestibles, la
force des rochers et la direction des vents.

«Plus encore, pourrait-il ajouter, j'ai appris la nature profonde et les hommes.»

Les Villemaire étaient voisins de la famille Bourque
à Sainte-Rose. Pas uniquement des voisins, des amis. Ils
appartenaient à un club de chasse et pêche privé situé à
plusieurs kilomètres au
nord de Nominingue.
C'était un lieu inconnu
presque vierge composé
de 11 lacs sauvages et
qui n'était fréquenté
que par des chasseurs et
pêcheurs avertis. Quel-
ques colonies d'Amé-
rindiens y vivaient.

Avec les Villemaire, dans le bois.

Ernest était le frère
du voisin de Sainte-
Rose. Il s'était établi à
Mont-Laurier, où il ha-

bitait une maison modeste depuis le décès de sa femme et sa retraite comme employé des tramways de Montréal. Il venait quelquefois à Montréal jeter tout son fourbi dans une petite chambre de la rue Sainte-Catherine. Se réorganiser pour mieux repartir.

Cet homme-là avait pris le bois comme d'autres le maquis. Il s'enfonçait en des lieux perdus, au bout d'un pays que seuls certains Amérindiens connaissaient. Il pouvait disparaître, l'été ou l'hiver, de 30 jours à 2 mois. Sans laisser de trace.

Il savait vivre de la nature, survivre par elle, s'y nourrir, s'y abriter. Si par un hasard tout à fait extraordinaire on le croisait, il avait dressé sa tente, délimité son territoire.

Une espèce de sage. Un homme qui avait appris à ne pas lutter contre les éléments, à ne pas résister.

— S'il vente, tu ne rames pas. Ainsi, tu ne vas pas chavirer.

Il avait appris par instinct à suivre le cours des saisons, à se mettre au diapason de la nature; la sentir, l'écouter, profiter de ses grâces et générosités le temps opportun.

C'est ainsi qu'il vivait. Seul avec lui-même, le silence terrible de la forêt profonde apprivoisé et cette solitude qui lui servait de guide. À l'écoute de ses voix intérieures, il ne connaissait pas la peur.

Pierre Bourque a vécu cette rencontre comme une révélation. Le vieil homme de son côté s'est pris d'amitié pour ce grand citadin qui lui semblait plus profond sans doute que les autres. Plus apte à entendre. Plus simple et plus pur.

Il l'a emmené avec lui souvent. Pierre a suivi ses sentiers, mais aussi les mots qu'il lui disait, le sens des mots, cette vérité toute simple qui sortait de sa bouche et venait souffler la flamme de l'amour de la terre, l'amour du pays qui animait déjà le jeune homme.

Raconteur d'histoires fabuleuses, tous ceux qui l'écoutaient étaient suspendus à ses lèvres. Ses récits avaient des saveurs de loups, de grands coups de vent d'automne, de forêts noires, de tempêtes et d'orages, de rivières qui grondent. Le héros et ses histoires excitaient l'imagination et faisaient rire aussi. Pierre Bourque a gardé le souvenir d'énormes éclats de rire au récit d'histoires quelquefois abracadabrantes.

L'homme avait développé un côté ratoureux, peu s'en faut. Comment vivre autrement? Un autre outil de survivance. Il n'avait jamais besoin de crier ni de se mettre en colère pour affirmer son autorité ou confirmer son territoire.

Un matin à l'aube, il arrive à une pointe de terre au bord d'un lac où il veut s'installer car il connaît les orignaux, il connaît leur route. Il sait qu'ils vont venir là. Il entend des bruits caractéristiques: des chasseurs l'ont devancé et ont installé leur tente durant la nuit.

Sans bruit, quelques pas plus loin, il installe la sienne, allume un feu. Les chasseurs l'aperçoivent mais il leur dit:

— Je suis ici depuis 15 jours!

Connaissant la règle, remplis de doutes, les chasseurs ont changé de lieu.

Dans tout le pays, on le savait connaisseur, on cherchait à le suivre, à connaître ses secrets, ses trucs de chasse. Car là où il allait il trouvait du gibier. Les compagnies qui possédaient des territoires pour la coupe du bois exigeaient que les chasseurs s'enregistrent d'abord. Ernest donnait de faux renseignements et dirigeait consciemment les profiteurs sur de fausses pistes. Ensuite, il ne lui restait plus qu'à aller tranquillement prendre son poste là où il savait que la moisson serait bonne.

Dans la foulée de ces expéditions, Pierre Bourque a appris à tirer, à chasser. Avec son guide, à l'affût, il a même abattu deux orignaux. Mais il n'y a pas pris goût. Sa sensibilité le porte davantage à aimer les bêtes qu'à les tuer; il fallait sans doute deux victimes pour qu'il en prenne conscience. De plus, sans vouloir contester le droit d'Ernest de se nourrir, de survivre, il n'aime pas le côté rituel, la mentalité sectaire qui sous-tend en général les chasseurs mâles venant de la ville.

Il ne juge pas ceux qui chassent, mais guetter la bête, la tuer, non! Il n'est pas friand de viande. Alors, pour lui, la chasse sans utilité physique n'a pas sa raison d'être.

C'était l'été, les vacances. La nature sauvage lui montrait son vrai visage, sa richesse. Elle lui offrait ses paysages. Il connaissait ses forces et sa fragilité. Il a amassé suffisamment d'images qui lui serviront de repères toute sa vie. Avec la ferme intention désormais de la protéger, de la défendre.

Ernest Villemaire, sans le vouloir, ou peut-être en était-il conscient, a semé le germe d'une passion qui sera nourrie, entretenue. Il a ouvert les digues. Et tout ce que le jeune homme a appris en la compagnie de cet initiateur, tout ce qui ne s'apprend pas dans les livres, il lui en est reconnaissant. Ernest disparu, l'homme mûr en pensant à lui s'attendrit, le nomme sans hésitation son père spirituel.

Lorsqu'il revient à Montréal au Jardin botanique durant les vacances, le journalier Pierre Bourque apprend l'ordonnance des choses, la nature domestiquée, dominée. C'est une autre leçon.

Dans la ville qui l'a vu grandir, le béton, le bruit, l'agitation, les grands événements, les progrès, il prend conscience de la présence des arbres, de la nécessité et du bonheur de pouvoir se réfugier dans de grands jardins verts.

3

LA COUPURE

> «Le tragique de ma jeunesse aura été de trop aimer
> et d'être si mal compris.»
> PIERRE BOURQUE

— Je me suis senti longtemps isolé, comme si j'avais un message à livrer mais que personne ne voulait entendre.

Le malaise va grandissant; il se sent malheureux dans sa famille, dans sa vie. Il est pourtant fondamentalement un garçon heureux. Le pessimisme est vite compensé par sa formidable énergie. Au sein de la famille, le climat est lourd, chargé de malentendus, d'inquiétudes, de déceptions. La mauvaise humeur s'installe. Il faut qu'il déploie ses ailes, mais le cadre est étriqué.

En belles-lettres au collège Sainte-Marie, Pierre Bourque a 18 ans. Depuis 2 ans, avec son père rien ne va plus, ils ne s'adressent plus la parole. Dépassé par ce grand indépendant qui n'en fait qu'à sa tête, Joseph-Benoît critique ses amis, ses choix de lectures, de distractions. Cet autoritarisme étroit heurte l'adolescent fier et sensible.

La destinée va lui indiquer une échappatoire, une voie nouvelle qui va lui donner son orientation fondamentale. Au Jardin botanique, le journalier Bourque a une réputation de littéraire. On le surnomme le «prof de français». Sa boulimie de connaissances n'a d'égale que celle d'enseigner. Il aime afficher ce qu'il sait, avec une sorte de fierté puérile, mais il est instinctivement pédagogue. Il ne craint pas en distribuant son savoir de le voir s'éparpiller aux quatre vents, de le perdre. Au contraire. Dès qu'il sait quelque chose, il veut le partager, le transmettre.

Et il est vrai qu'il en sait de plus en plus, c'est incontestable. Ses herbiers s'enrichissent, se raffinent. Son vocabulaire scientifique aussi.

Joseph Dumont, son patron, est le surintendant de la division des arbres à la Ville de Montréal, qui relève du Jardin botanique. Dans les années cinquante, peu d'experts connaissaient, comme cet immigrant d'origine belge, l'art et la manière de s'occuper d'un aussi grand espace vert. De plus, il sait se débrouiller pour aller chercher de l'argent pour planter de nouveaux arbres. Bel homme, solide gaillard, autoritaire, on le craint, il en impose.

Le frère Marie-Victorin, mort tragiquement en 1944, a laissé un vide important au Jardin. Une œuvre pourtant achevée, mais dont le sens a souvent échappé aux responsables de sa continuité. Le frère souhaitait mieux pour la survie de son travail. Dans son message testamentaire, il espérait:

«Je leur demande, maintenant que je ne suis plus là, d'unir leurs forces fraternellement pour faire des deux institutions, l'Institut botanique et le Jardin botanique, de grandes et durables œuvres pour le service du vrai et du bien.»

Malheureusement, la succession, ardente au début, devient de plus en plus difficile. L'histoire du Jardin est cyclique, cahoteuse, flamboyante ou catastrophique. Le Jardin traverse tour à tour des périodes de développement et des périodes de désert.

Mais Joseph Dumont est dévoué, compétent, formé à la culture européenne des grands jardins, des grands arbres, de la tradition. Perspicace, dans les attitudes du jeune homme qu'il voit évoluer chaque été, qu'il observe attentivement, il décèle un potentiel incontestable, une espèce de terre riche et meuble dans laquelle il serait avantageux de semer: «Je ne suis pas en présence d'un garçon ordinaire», pense-t-il.

— Monsieur Bourque, venez me voir après le travail.

— Sans faute, monsieur Dumont.

Il le reçoit derrière un imposant bureau brun surchargé de papiers et de plantes.

— J'ai pris sur moi d'écrire à des amis en Belgique, plus précisément à Vilvoorde. Je leur ai demandé s'il y avait de la place à l'école d'horticulture pour un jeune Québécois prometteur. Est-ce que cela vous intéresse? J'ai ici la réponse. Ils seraient ravis de vous voir entreprendre le cours d'ingénieur. Vous n'êtes pas obligé de répondre tout de suite. Pensez-y. Consultez vos parents.

Le cœur de Pierre Bourque se met à battre plus vite. Une sorte d'exaltation s'empare de lui. Dans une fraction de seconde, son monde littéraire, les images et les héros s'incarnent, il entrevoit la chance inouïe de leur donner corps. Il imagine sans peine la valise, l'avion, ses premiers pas sur le sol européen. Il voit les fleurs nouvelles, ses herbiers qui vont s'enrichir, les arbres qu'il n'a pas encore vus, les êtres qui vivent différemment. Le métier qu'il va apprendre avec toutes ses complexités techniques est un métier nouveau, une terre à défricher. Plusieurs défis à la fois. L'aventure.

Il le sait déjà. Il ne sera pas tendre. Pour convaincre ses parents, ses mots auront une force nouvelle, une détermination qu'il ne se connaissait pas encore. Ce qui l'attend là-bas est plus fort que tout et s'inscrit dans un processus irréversible.

La colère gronde, la réaction ne se fait pas attendre:

— Il n'en est pas question! Tu es bien trop jeune! Et avec quel argent? Il ne parle pas de devenir ingénieur civil, ni en mécanique ni en électricité. Non! il veut devenir ingénieur en horticulture!

Les émotions se bousculent entre la déception, l'ignorance, l'inquiétude. Le fils se veut conciliant, rassurant.

— Il y a des gens qui vont me recevoir et s'occuper de moi là-bas. C'est une très grande école, vous savez. De réputation internationale. Et puis, je vous le promets, je vais revenir chaque été pour travailler, gagner mes études.

C'est à cette seule condition que sa mère se rallie et finit par convaincre son mari de la pertinence du projet. Les enfants Bourque ont une chance égale de s'instruire, de choisir leur voie. Pierre ne fera pas exception.

Voilà tout de même un choix original. Qui allait en horticulture à cette époque-là? Sortir de la voie tracée d'avance, des ornières avait une allure de réaction. Son père espéráit sans doute qu'il s'oriente vers une profession libérale, qu'il s'inscrive dans la tradition. Il faut donc qu'il se sépare de son père. Qu'il rompe les liens.

L'adolescent traverse une période de mysticisme où le don total à Dieu par la prêtrise l'appelle. La voix est faible et ne trouve pas d'écho prolongé. À l'analyse, il craint d'abord l'enfermement et une discipline qui ne cadre pas avec sa soif de liberté.

Et ce monde! Ce monde immense et généreux, rempli de mystères. Comment résister aux chants de la sirène? Il faut qu'il fasse éclater le cocon.

Il écrit ce qui le hante:

«Et pourtant au fond de moi je sais où je veux aller, ma vie est toute tracée, mais j'ai peur de flancher, mes forces sont minimes, instables, en révolte, prêtes à tout et à rien. Et comme dit Cendrars, je suis très mauvais poète, je suis humble, j'ai peur, c'est pourquoi j'ai besoin de toi, Christ. Si je veux prêcher l'amour, il faut bien que je m'alimente à Toi.»

Finalement, il choisit avec enthousiasme de partir, d'aller chercher les outils qui vont le servir, bien sûr, puisqu'il va revenir avec une spécialité originale que peu de gens pratiquent. Une espèce de métier à la fois technique et philosophique d'avenir. Il le sent. Mais il veut aussi servir la nature.

Elle l'a si bien servi jusqu'ici, cette nature aimée! Sa seule beauté, sa seule existence sont des baumes. Les arbres comme les plus hauts clochers! Les plus modestes fleurs! Quelles sont les essences qu'il lui reste à découvrir, les formes et les couleurs de la flore internationale? Le monde est si vaste et tellement rempli de merveilles! Le miracle du printemps lui parle de Dieu encore, mais désormais cela se résume à de grands élans de reconnaissance et de grâce.

Est-il inquiet de partir? Est-il absolument sûr de son choix? Il a appris beaucoup dans ses lectures des écrivains verts, des philosophes et des poètes, et les racines de leur pensée s'enfoncent profondément en lui. Il doit aller jusqu'au bout. Il doit écouter ses voix intérieures. Il écrit:

«Maintenant je vois clairement le pari, l'enjeu auquel je fais face. Là dans mon passé gisent mes ambitions, mes rêves de jeunesse, les ambitions que tout le monde fondait sur moi avec raison. Avec leurs espoirs morts, j'ai rattaché tout cadre, convention, collège auxquels j'étais lié. Désormais seul et apparemment d'une nudité complète. Tout jaillira de moi, ou tout mourra en moi.»

Il quitte le Québec à la fin de l'été 1961. Le bagage est léger. Mais ce qu'il porte à bout de bras comme espoir est gigantesque. Il part donc en paix relative avec son père. Il laisse une mère au bord des larmes.

Mais lui, il est tranquille avec lui-même.

Le grand départ

Le Québécois qui vient d'entrer dans la classe en disant un clair bonjour est tout à fait exotique. Pour la vingtaine d'étudiants, en majorité des Belges et des Français, ce petit-cousin a de quoi exciter l'imagination. Quant aux Congolais, aux Tunisiens, aux Marocains, ils sont épatés par ce géant du Nord qui les dépasse d'une tête!

Au début, on l'écoute mais on ne l'entend pas, attentif à cette langue chantante d'une terre lointaine. On s'attendait à un charabia. Oh! surprise, on le comprend, contrairement à cet autre étudiant venu du Québec qui devra l'année suivante plier bagage faute de pouvoir se faire comprendre, et peut-être aussi par manque de vocation. La façon d'être du nouvel arrivé crée immédiatement un courant de sympathie, sinon de curiosité.

On est en septembre, la région de Vilvoorde, située à quelques kilomètres de Bruxelles, voit ses champs épanouis par de généreuses récoltes. Le temps est doux. L'institution imposante à l'architecture classique résonne de voix nouvelles, la petite ville prend ses allures de rentrée animée, les étudiants s'affichent bruyamment aux tables des quelques cafés.

Est-ce ainsi qu'il avait imaginé l'Europe? Pierre Bourque a 19 ans. Son imaginaire est en pleine effervescence. D'une certaine façon, la réalité dépasse tout ce qu'il a imaginé. Il est frappé d'abord par ce «plat pays», ses habitants simples. Le décor a d'autres formes, d'autres odeurs. L'eau des rivières est chargée de remous et n'a pas la limpidité de nos rivières. Les jardins sont riches et peuplés d'essences nouvelles, ordonnés, rigoureux. La terre de Belgique est profitable à tout ce qui pousse.

Il se souvient, encore épaté, du grand mouvement de propreté autour de lui, de ces habitudes bien ancrées: les femmes lavent et balaient leur trottoir chaque jour, et même parfois les murs de leur maison! Quelle différence quand il revoit Montréal au temps des vacances: ce laisser-aller, ce je-m'en-foutisme lui font mal au cœur!

Deux garçons de son âge ont sympathisé tout de suite avec lui: Émile Jacqmain et Philippe Fol. Ils l'aident à se trouver une piaule. C'est une pièce au deuxième étage d'une maison de chambres; son voisin de palier est un Congolais avec qui il se lie d'amitié. Pour 30 $ par mois, il ne doit pas espérer trop de confort. Il doit lui-même aller chercher son charbon et son bois pour se chauffer. Il boit son café au bistro d'en face. Son alimentation est typique d'un étudiant sans fortune: frites et moules, pistolets chauds, petits pains ronds à peine sortis du four et bourrés de fromage hollandais.

Sa chère mère lui écrit régulièrement et attend ses réponses impatiemment. Il écrit plus librement à sa sœur Claudette. Pour ne pas se sentir trop seul, il installe sur la table de nuit les photos de ceux qu'il aime, membres de sa famille, amis.

Les jeunes filles en fleurs se succèdent dans son cœur, leur photo sur la table de chevet aussi. Un temps c'est Monique, un autre temps Madeleine. Il croit parfois avoir trouvé la femme de sa vie, mais prudent il se ravise:

«J'ai voulu l'entraîner trop vite dans ma vie, sans lui demander si elle était prête pour une telle aventure... Je l'ai trop idéalisée en moi, je lui demandais trop. Aujourd'hui, je lui ai rendu sa jeunesse, ses 18 ans.»

Il doit se mettre sérieusement au travail de toute façon:

«Je dois m'armer pour plus tard afin de justifer ma vie, d'y donner un sens. Il serait terrible que tout ce qui est en moi disparaisse et ne serve à personne.»

L'école supérieure qu'il fréquente forme des ingénieurs en horticulture et des architectes paysagistes. L'école reçoit tous les étudiants ensemble, peu importe leur orientation future, durant une année. Ils y acquièrent une formation technique générale. Ensuite, ils se séparent et choisissent entre deux spécialités: génie en agronomie tropicale ou génie en agronomie tempérée. Pierre Bourque a choisi l'agronomie tempérée.

La première année, il en impose par ses connaissances en littérature. Il corrige le professeur, le remplace même à l'occasion. Sa formation jésuitique le sert bien.

En mathématiques, en physique et en chimie, il doit mettre les bouchées doubles. C'est très dur. Il a 36 heures de cours par semaine, dont 18 de mathématiques.

Entre les camarades, une complicité s'installe et favorise les échanges de notes, l'entraide. Durant les quatre années de leur formation, ils resteront unis, un groupe à peu près inchangé d'une demi-douzaine d'étudiants, d'une même communion de pensée. Durant les congés, ils organisent des voyages, partent en expédition chez les uns, chez les autres, à la montagne ou à la mer. Ils visitent les centres horticoles importants. Ils en profitent souvent pour herboriser.

Et quand ils oublient leur herbier au fond d'un tiroir, c'est pour aller longer la plage froide et lorgner les filles. Brel le chante: «Il faut bien que le corps exulte...»

Quelques amours européennes éclairent le paysage de ses 20 ans. Amours passagères, car il assure déjà que sa femme future sera une Québécoise.

Il la rêve. Elle est muse.

«L'amour est essentiellement altruisme, victoire sur soi, sur son égoïsme», déclare-t-il, sûr de lui.

La vie suit son cours:

«J'ai passé des vacances de Pâques sensationnelles; j'ai vu Paris, les Alpes, Genève, la Savoie, une bonne partie de la France et un peu de la Suisse. Partout, j'ai été accueilli avec joie par des familles françaises, ce qui m'a épargné des frais considérables», écrit-il à sa sœur Claudette.

Aux vacances du Mardi gras, après un trajet sur le pouce, on le retrouve en Allemagne, à Cologne où il tombe en plein carnaval. Il loge dans une auberge de jeunesse, à 0,25 $ la nuit. La visite de la cathédrale l'émeut:

«Une telle merveille me laisse songeur...»

Les églises le fascinent. Il découvre Chartres quelques mois plus tard et, quelques années après, l'église de San Francisco lors d'un voyage en Équateur en 1977. L'or de l'autel central, des nefs latérales, du plafond, cette richesse inouïe dans un pays si pauvre l'ont bouleversé et plus encore le rituel des gens simples d'embrasser, de caresser un énorme Christ, de rester là des minutes éternelles avec leur fol espoir d'être exaucés, guéris, absous.

Il admire les vitraux. Partout où il va, les temples l'émerveillent:

«Je vois les limites de l'homme et je comprends que pour aller au-delà il faille construire des cathédrales. Pour se prolonger dans l'espace, dans le temps. C'est la recherche de l'absolu, de l'harmonie...»

Quelle est sa foi?

«Je sens en moi une émotion profonde face à la beauté, la grandeur, la nature. Face à la vie.»

Si par hasard il entend une homélie, il est touché avant tout par la simplicité des mots, la profondeur du message.

Au cours de ce même premier voyage en Équateur en 1977, il ne cherche pas à se défendre contre le trouble qu'il ressent aux paroles d'amour, de partage qu'il entend à l'occasion d'une cérémonie de mariage. Il avoue:

«Le vieux scepticisme qui dort en moi depuis si longtemps n'est pas resté insensible aux valeurs chrétiennes énoncées par le prêtre. Je trouve étrange que ce sentiment religieux pourtant depuis si longtemps éteint en moi retrouve un écho dans ce pays si pauvre, aux contrastes sociaux extrêmes. Il est vrai que je n'ai jamais renié les valeurs chrétiennes mais plutôt l'incapacité de l'Église à se détacher du pouvoir, des riches, des possédants, de tolérer la misère et la pauvreté. Et c'est pourtant parmi cette misère que l'Église démontre sa force par la promesse d'une vie éternelle. C'est là que je décroche car pour moi la vie est unique et elle se doit d'être vécue intensément.»

Dans une sorte d'indolence, dans l'éblouissement des îles Galapagos qu'il découvre au cours d'un autre de ses voyages, il écrit:

«J'avais depuis mon départ une très grande envie d'écrire; écrire des choses sérieuses sur la vie, ma vie. Et pourtant, depuis que je suis ici, tout s'est éclairci. Je suis comblé par ce que je vois chaque jour et je ne cherche plus à philosopher, à me casser la tête. Le message, il est partout ici; il est dans ces rochers, ces montagnes de lave qui, un jour, il y a un million d'années, ont surgi de l'océan. Le message, il est dans les *opuntias* centenaires qui se sont enracinés dans ce sol stérile; il est aussi dans le regard impassible et froid de ces milliers d'iguanes et de ces tortues géantes, comme dans le rire et les cris des otaries.»

À la découverte de l'Orient s'ajouteront, enfin, d'autres avenues philosophiques. Il réfléchit et ressent l'ascétisme comme une voie qui contient des valeurs exigeantes certes, mais fascinantes à explorer. Jusqu'à maintenant, il s'accorde le droit d'évoluer, de changer. Il ne craint pas l'inconfort des demi-certitudes.

Pour le moment, l'étudiant Bourque poursuit sa découverte du monde européen par l'Italie, la Tchécoslovaquie. Des séjours trop courts hélas! mais qui l'imprègnent fortement d'images et de réalités nouvelles. Ce n'est pas tant l'esthétisme que l'humain qui l'attire. Et l'humain au milieu du paysage.

Du reste, tout ce qu'il entreprend, voit, entend et réalise en dehors de son école semble lui être tout aussi profitable que ses cours et parfois plus excitant:

«Ici, la vie suit son cours normal. Je me plais bien dans mes études, même si je ne leur attache qu'une valeur relative. Je prends plaisir en effet à étudier, à apprendre, mais ce n'est pas pour moi un but définitif, absolu. Je continue à étudier avec joie même si dans plusieurs domaines il y a longtemps que je ne me considère plus comme un étudiant. L'expérience que m'a apportée le contact de la vie quotidienne, du monde ouvrier m'a été plus précieuse et je suis pleinement conscient du fait que mon état actuel n'est qu'une période transitoire...»

L'effervescence du début des années soixante en Europe imprime sa marque en lui. Le drapeau rouge, la doctrine communiste, les manifestations étudiantes, ouvrières, les guerres de pouvoir, celles des générations, des clans. Le racisme ordinaire entre Arabes et Noirs.

Les conflits linguistiques entre Flamands et Wallons. Pierre Bourque vit au centre d'une société en plein remue-ménage.

Mais le plus important, c'est qu'à *La Petite Provence*, rue du Boucher, à la table des voyous, entre deux verres de rouge, une salade d'endives, un bifteck-frites, on s'entend sur la vérité toute simple que les Flamands sont les grands maîtres du monde des jardins.

Il persiste dans sa voie, intégré; il est heureux et il réussit. L'Europe est formatrice, révélatrice. Il compare les cultures, mais n'oublie pas l'essentiel qu'il sent poindre. Ses retours au Québec, l'été, à la maison de Sainte-Rose, sont pour sa mère des consolations; elle s'ennuie tellement et n'hésite pas à le lui dire chaque fois qu'elle lui écrit. En même temps qu'il se retrempe dans son environnement, il prend le pouls des changements politiques, des bouleversements.

De retour là-bas, il lit tous les journaux que sa sœur lui envoie. Après le mandat clair que les Québécois donnent au Parti libéral de Jean Lesage en 1962 pour le grand projet de la nationalisation de l'électricité, il écrit à Claudette:

«J'ai appris avec joie le résultat des élections provinciales. Le peuple québécois a fait preuve d'une grande maturité politique. Je crois que le parti faiseur de mythes, propagandiste du retour en arrière, ne se relèvera jamais de ce coup dur. Il devra par lui-même se transformer s'il veut survivre. De plus, la nationalisation de l'électricité sera une étape importante dans la prise de conscience du peuple canadien-français.»

Il ressent peut-être une responsabilité, une mission à venir. Et il aime faire partager ses moments d'hésitation, près de ses angoisses. Il aime dire ce qu'il ressent à sa petite sœur dont il est très proche par la sensibilité:

«Je sens un besoin intense d'activité à la fois physique et intellectuelle au service de mes frères qui forment la communauté... Notre degré d'utilité au service des autres, si modeste soit-il, est notre justification de l'existence qui nous a été donnée. Il est aussi notre but fondamental.»

On sent aussi l'impatience. Ce n'est pas le temps de flancher car la fin de ce cycle fabuleux arrive. Qu'est-ce qui peut bien inquiéter le jeune homme ardent? L'avenir?

«Je me dois de penser à mon avenir, ma vie d'étudiant s'achève. Est-ce que je rentrerai au pays ou est-ce que je partirai en Afrique? Je dois m'informer des possibilités qui me sont offertes au Québec. Pour ce faire, je compte écrire à René Lévesque. De toute façon je demeure profondément idéaliste, c'est ma justification devant la vie.»

Le printemps 1964 le trouve nostalgique:

«Je me rends compte combien le temps passe vite et que maintenant la vie est là qui nous réclame. Finis notre adolescence, ces étés insouciants à Sainte-Rose. Pour ma part, je suis heureux d'entrer dans la vie. Il y a longtemps que j'emmagasine. Il est temps pour moi d'être utile, de servir la société.»

En février 1965, il a 23 ans et entreprend l'avant-dernière période avant les grands examens de fin d'études. C'est un très bon étudiant, mais:

«C'est chaque fois un nouveau défi et j'ai toujours peur d'y laisser des plumes.»

La camaraderie s'est resserrée dans le groupe de gais lurons toujours prêts à vider une chope de bière pour fêter n'importe quoi. C'est du reste le moyen qu'ils ont imaginé: ils sollicitent les passants dans la rue, chope à la main pour amasser quelques sous au profit d'une association que Pierre et ses camarades viennent de fonder.

À la suite du décès de l'un de leurs camarades africains, ils mettent sur pied l'Association Muepu qui vise à favoriser les échanges entre Africains et Occidentaux. Réunions, visites culturelles, scientifiques: entre autres, ils ont accès à une mine de charbon, une usine de produits chimiques en Allemagne. Pierre est l'activiste de ce mouvement, secrétaire compétent. Le président, selon leurs règles, est toujours un Africain. Pierre veille à l'organisation, à la mise sur pied de comités, rédige les statuts, les règlements, au grand étonnement de ses amis qui se demandent un peu où il a appris tout cela.

À un certain moment, l'Association compte 160 membres:

«Tu vois un peu le boulot que j'ai au point de vue correspondance, prises de contact, etc. Malgré tout, je sens mon action utile et je ne puis laisser maintenant. Nous comptons 15 nationalités différentes et commençons à nous ramifier dans plusieurs villes de Belgique. L'État belge nous accorde environ 100 $ par mois et met à notre disposition des locaux pour des conférences et des films. Il est temps que nous nous fassions remplacer par des membres fiables, les fondateurs terminent cette année et rentrent dans leur pays respectif.»

Il s'occupe en plus d'un organisme universitaire belge qui place des étudiants dans les pays du tiers monde:

«Je représente cet organisme à l'école et je sers d'intermédiaire entre les futurs ingénieurs agronomes et l'organisme en question.»

S'il a le temps, le finissant Bourque ne manque pas un seul spectacle de chansonnier québécois en tournée. Il va entendre Claude Léveillée à Bruxelles:

«Encore un pur, un idéaliste qui porte son pays en son cœur.»

Il obtient 76 % comme résultat de ses examens de février. Content de lui, il entreprend la rédaction de sa thèse: étude d'une exploitation maraîchère mixte, culture sous verre et en plein air.

À quelque temps du sprint final des examens de fin d'études, il ressent l'urgence de voyager le plus possible, de s'en mettre plein la vue, de profiter de toutes les invitations de ses camarades.

«Après mes examens, si tout va bien, je partirai avec quelques copains dans le sud de la France, en Italie, en Tunisie où m'attendent au moins une trentaine d'amis, en Algérie, au Maroc, en Espagne, puis de nouveau Paris, Bruxelles et Montréal. Je serai probablement fauché à ce moment-là!»

Bruxelles, juin 1965: Pierre Bourque reçoit la visite de sa mère.

En *post-scriptum*, il laisse ce mot rempli d'espoir pour son retour qui approche:

«Je suis en contact avec le ministère de l'Agriculture du Québec de même qu'avec la Ville de Montréal. Il semble y avoir des possibilités aux deux endroits...»

Les parents de Pierre Bourque assistent à la cérémonie de remise des grades, en Belgique, au mois de juin 1965. Il leur fait rencontrer ses amis, découvrir un peu ce que fut sa vie durant les quatre années écoulées. Marcelle ressent une fierté sans nom devant ce gaillard de fils qui dépasse ses espérances.

Il est troisième de sa classe, les premiers sont ses amis. Il revient au Québec avec un diplôme en poche, un avenir à dessiner, à ensemencer.

4

LE RETOUR

«Les îles de l'enfance
Dorment sur l'eau du temps
On ne saurait y revenir
Qu'avec des pas d'enfant
On ne saurait les retenir
L'eau et le vent
S'en vont devant
Sans emporter un souvenir»
GILLES VIGNEAULT

Il est bien entendu qu'à 23 ans il doit désormais voler de ses propres ailes. Il est libre de rentrer chez ses parents qui le recevront à bras ouverts. Mais il a goûté à la liberté totale. C'est un cheminement irréversible. Ce que ce long voyage lui a donné au plus profond de lui-même, c'est de l'assurance. Il revient serein, en pleine possession de ses moyens, l'imagination gonflée à bloc, armé sur les plans technique et scientifique, résolu à faire profiter les autres de son savoir-faire.

Il a du panache. La démarche même s'est affermie; les pas lourds du promeneur solitaire arpentant les terres, les bois, les montagnes, les jardins entraînent loin.

Il a envie d'abattre de l'ouvrage. Beaucoup d'ouvrage. Car les notions théoriques, le bagage intellectuel doivent servir l'action. Il est convaincu de la force de la mobilisation, ses nombreux projets d'Europe l'ont révélé à lui-même. Il ne veut surtout pas rester sur cette impression adolescente, douloureuse, qu'il livrait à sa sœur:

«Il est tout de même angoissant de constater que la seule valeur, la seule possibilité d'extériorisation qu'il me reste est intérieure, qu'elle peut toujours demeurer enfouie, que tout tend à la stériliser. C'est pourquoi il faut constamment me vivifier, attiser en moi cette richesse latente...»

Il a d'abord appris à être un homme. À être libre. À donner libre cours à ses voix intérieures. La conscience sereine que la vie vaut d'être vécue seulement si on a un rêve, seulement si on suit son rêve. Constance et fidélité. C'est aussi l'écriture quotidienne, dans son flot de mots, dans sa cascade d'impressions, d'images symboliques, qui l'a aidé à y voir clair.

À se frotter aux différentes cultures, en comprenant leurs luttes, leurs souffrances, leurs espoirs, il a donné une orientation universelle à sa vie. Tous les êtres sont frères et sœurs. Et qu'ils soient de Shanghai ou de Mascouche, ils ont les mêmes droits. Ce respect fondamental de la liberté, pour soi, pour les autres, est l'un des grands pivots de sa personnalité.

Il entretient l'éclectisme; au-delà des espaces verts et des fleurs, il cherche à recevoir des autres ce qu'ils ont à dire, à vivre. Pour les comprendre d'abord et partager ensuite toutes ses connaissances, toutes ses intuitions. Il capte les signaux.

Les hommes, dont il sait de plus en plus les misères et les forces, ont besoin de joie. De ces petites joies parfois aussi simples qu'une fleur du printemps. Que peut donc donner l'ombre fraîche d'un tilleul à une âme malade? Il devine qu'il y a, au-delà des apparences, une alchimie à faire fleurir.

C'est donc avec un trop-plein d'idéal, une certaine dose de naïveté, une énergie sans réserve qu'il aborde ce nouveau chapitre de son parcours.

Terre des Hommes

Les îles sont immenses et dénudées. Au beau milieu du fleuve Saint-Laurent, elles voguent comme de grandes terres à la dérive, sans organisation et surtout sans verdure.

Automne 1965, au milieu d'une décennie effervescente, Montréal s'anime. Elle s'achemine vers l'événement grandiose d'une Exposition internationale, étape importante dans sa destinée.

Quel défi extraordinaire pour un jeune homme qui rentre d'Europe fermement convaincu de la solidarité des êtres, de leur pouvoir de création!

Et qui plus est, il a l'énergie et l'envie furieuse de participer à une grande œuvre. Son idéalisme lui fait même mettre au deuxième plan les valeurs matérialistes; il ne cherche pas, curieusement, alors que c'est l'objectif premier dans bien des cas, surtout quand on entreprend sa vie professionnelle, à satisfaire des ambitions d'argent. Il est au-dessus de cela. Il est vrai qu'il n'a pas encore de responsabilités. Il doit seulement veiller à sa propre subsistance.

C'est son histoire, il n'est pas bas de laine ni anxieux face à l'argent. Bien sûr, il a eu sa période anticapitaliste, il a méprisé le pouvoir de l'argent. Les années lui ont donné une vision plus nuancée. Il admire maintenant ceux qui ont su construire un empire ou des fortunes considérables. Cet objectif lui apparaît louable en autant que cet argent serve les autres, crée des emplois.

Au moment où il arrive à Terre des Hommes, ce qu'il cherche avant tout c'est à s'orienter dans une voie conforme à ses valeurs. Son égoïsme est d'un autre ordre: se réaliser, enfin donner le meilleur de lui-même et faire éclore ce qu'il porte en lui.

Première préoccupation terre à terre: se trouver un petit appartement qui va abriter ses livres, sa musique, son désir de nouveauté. Ce sera temporairement rue Cherrier.

Il décroche sans difficulté son premier emploi; un entrepreneur privé de l'Ontario, la compagnie Fontaine, est installé sur le site futur d'Expo 67 et doit concevoir son aménagement paysager. Ce site démesuré, artificiellement surgi, constitue une tâche gigantesque. Tout est à faire.

Premier hiver. Pierre Bourque, qui assure la liaison entre Expo 67 et la Ville de Montréal, est installé avec trois hommes sous la charpente du pont Jacques-Cartier dans un édifice de ciment blanc. Au-dessus de leur tête, toute la journée, passent inlassablement autos et camions.

Le chantier des îles est désespérant, difficile à imaginer en lieu habitable. Tout n'est que boue et bruits. Les premières structures de métal des pavillons et des ponts se dressent comme des squelettes.

Dans le vrombissement continu des camions, à l'œuvre 24 heures par jour, les hommes façonnent remblais et digues.

«On a planté les arbres dans la boue. Il fallait les protéger des camions, du froid et du vent.»

Avec des madriers, des écrans de jute, les ormes de Sibérie, les érables, les cèdres matures dessinent petit à petit un nouveau visage aux îles: 10 000 arbres, 150 000 arbustes, plus tard, en saison, 400 000 tulipes. En août 1965, on peut déjà imaginer le meilleur à venir. L'année suivante, les pavillons prennent forme, il reste à peaufiner le site: des genévriers, des rocailles, du gazon partout.

À l'ouverture de l'Expo, le 29 avril 1967, les entrepreneurs paysagistes de la première heure ont quitté les lieux. La Ville de Montréal a besoin de quelqu'un pour prendre la relève et n'a pas des milliers d'experts sous la main. Pierre Bourque n'a aucune difficulté à s'imposer. Il a fait ses preuves depuis deux ans, et de plus on le connaît puisqu'il a été journalier au Jardin botanique. On lui confie donc la responsabilité entière de l'entretien des îles.

Il avait écrit dès le début à ses amis, dans un réflexe de partager l'aventure naissante:

«La Ville veut m'évaluer en me donnant le contrat de tout le chantier de Terre des Hommes. Venez m'aider.»

Deux copains d'études ont fait leurs valises et sont venus le rejoindre: Bernard Giraud et Émile Jacqmain. Il lui fallait une équipe rassurante, des complices de même école et de même pensée, des techniciens compétents pour lui apporter à la fois leur science et leur réconfort.

La veille de l'ouverture officielle, l'équipe a dû utiliser un subterfuge pour ne pas subir les foudres du colonel Edward Churchill, chef des opérations pour la compagnie de l'Expo.

À Cité du Havre, le gazon était jaune et mort. Alors, ils l'ont... teint. À l'aide de longs tuyaux armés de fusils, ils ont vaporisé une teinture sur tout le gazon!

Malgré cela, le 29 avril, la reine Élisabeth II, l'invitée la plus prestigieuse, a remarqué avec une moue très britannique:

— C'est sale!

Ces deux pauvres petits mots ont révolutionné Terre des Hommes. Le lundi matin, après la première fin de semaine, où plus de 600 000 visiteurs ont franchi les barrières, le colonel convoque Pierre Bourque:

— Je ne veux plus un seul papier sur le site!

Le nouveau responsable établit alors sa stratégie et quadrille le site de telle sorte qu'aucun recoin ne puisse échapper à la vigilance d'une armée de travailleurs qui, jour et nuit, vont traquer le moindre rebut.

En 1967, il est à la tête de 700 employés qui se partagent tout l'entretien. Les journées de travail sont interminables. Sans relâche, à pied ou en camion, armés de râteaux, de pics, de pioches, de pelles et de balais, on arpente les îles, nettoie, remplace les arbres faiblards, les haies rabougries, entretient les roseraies, les jardins fleuris, les rocailles. De la fin du printemps jusqu'à tard cet automne-là, entre les divers pavillons, dans les sentiers, dans les allées, partout, la nature verdoyante et colorée a raconté aux visiteurs que ce pays du Nord a ses beautés, de grands jardiniers aussi.

— Jamais une fleur ne fut piétinée, dit fièrement Pierre Bourque.

Il lui fallait, pour relever le défi, s'assurer la complicité des êtres familiers autour de lui, de ceux qui savent créer des équipes, organiser. Ses forces déjà: connaître les capacités de chacun, reconnaître les talents. Au cours de ses étés étudiants au Jardin, il a eu l'occasion de créer des liens avec de bons travailleurs, notamment en arboriculture: des Québécois, des Portugais, des Italiens, solides, dévoués. C'est à eux qu'il fait appel sur le site de l'Expo.

Le travail est harassant, mais combien stimulant. L'énergie de la jeunesse a quand même ses limites. Pierre Bourque, comme tous ses jardiniers passionnés, tombe chaque soir tel un guerrier épuisé mais heureux au creux de son lit. L'appartement vieillot au troisième étage de la rue Berri où il est désormais installé est étonnamment silencieux, durant la semaine, dès que vient la nuit.

Expo 67 est grisante, éclatante. Il n'y a pas eu de modèle pour un événement d'une telle envergure dans ce pays. Chacun doit inventer, puiser au fond de lui-même ressources et idées. Les visiteurs venus du monde entier, l'animation, la charge humaine, scientifique et culturelle de l'événement provoquent dans la société québécoise un bouleversement en profondeur qui l'ouvre sur le monde. Pierre Bourque perçoit l'impact de cette réalisation.

S'il a une vision claire de l'objectif à atteindre, le partage de cet objectif enrichi de la créativité des uns et des autres provoque une synergie qui lui est essentielle.

C'est sur le terrain vierge des îles qu'il apprend la culture non plus seulement des fleurs mais des hommes. Le travail en équipe est la seule formule permise.

Dans cette grande culture qui se développe, entre ces arbres et ces boutures, c'est à Terre des Hommes que la verte conscience du Bourque littéraire s'incarne.

En 1968, on le nomme responsable de tous les programmes horticoles sur le site de Terre des Hommes.

Il veut continuer, maintenir la flamme. Il s'accroche à l'euphorie, résiste comme le capitaine à la barre d'un navire échoué.

— Trois années intenses. La liberté totale. Et une grande réunion d'amour, se souvient-il.

Puis, le désert, plus rien. Quelques plantes abandonnées.

Il croit à la pérennité des îles. Après la fermeture de l'Expo le 27 octobre, il est sur place avec une centaine d'employés sous la direction du Service des parcs. Ses amis sont repartis vers l'Europe. Lorsque le maire Jean Drapeau décide de ranimer le site pour 1968, il les rappelle:

— C'est reparti!

Émile Jacqmain, après avoir vécu lui aussi toute cette période d'effervescence, tourne un peu en rond dans sa Belgique natale, à la recherche d'un nouveau défi. Quand son ami lui lance un appel, il a effectivement envie de revenir et de mettre l'épaule à la roue. Ils ont vécu tellement de choses ensemble! Tellement d'aventures! Ils ne demandent pas mieux que de reprendre là où ils se sont laissés. Il y a bien eu le projet de la Biosphère dans le pavillon américain, ses jardins suspendus. Mais plus rien n'est pareil.

Les autorités de la Ville offrent en 1969 au jeune capitaine de jeter l'ancre, de mettre pied à terre et d'accepter de nouveaux mandats.

Les heures d'exception sont terminées, il faut désormais porter son attention sur les Montréalais, la suite de leur vie quotidienne.

Le Jardin botanique a un urgent besoin d'air frais. Pierre Bourque ne ressent rien pour le Jardin, aucune sympathie, aucune attirance. C'est trop petit, c'est même un cadeau empoisonné, sent-il confusément: «Une tâche qui va m'enfermer.»

Après l'espace et la liberté des îles, après quatre années de construction et d'exaltation, le petit Jardin étriqué et clôturé, sans envergure, ne lui dit rien qui vaille.

Pourtant, contraint et forcé en 1969, il est nommé chef de section responsable des jardins extérieurs au Jardin botanique de Montréal. Le fonctionnaire horticulteur va faire contre mauvaise fortune bon cœur.

Il faudra voir comment ce qui n'a pas été un coup de foudre au début est devenu peu à peu un amour total.

Les amis et les autres

Durant la période effervescente de l'Expo 67, l'appartement à l'angle des rues Marie-Anne et Berri où vivent Pierre Bourque et Émile Jacqmain est une tour de Babel, une société des nations. Montréal ouvre ses portes sur le monde, les deux hommes les ouvrent aux amis. Et aux amis des amis. Avec une grande générosité.

Le grand patron des îles vertes n'hésite pas à engager une main-d'œuvre de tous les pays.

Un premier copain de Belgique d'origine tunisienne y installe ses pénates. Son frère le rejoint plus tard, puis un vague cousin. Enfin, l'épouse du premier. Et dans le lot, inévitablement se glisse un roublard sans scrupule. Un exploiteur qui entraîne tout le monde dans l'aventure d'un restaurant qui tourne mal.

Quand Pierre, à la fin de ses études, a visité la Tchécoslovaquie invité par un copain de classe, il s'est lié d'amitié avec des gens de Radio-Prague. Lorsque les événements politiques se précipitent à Prague, le frère du copain fuit son pays, passe par l'Autriche avant d'atterrir à Montréal. Il a l'adresse de Pierre. Pierre peut l'aider. Les brebis égarées ont leur berger!

Tout s'inscrit dans un grand mouvement d'échange d'idées, d'abolition des frontières, de fraternité. Comment ne pas concilier humanisme et botanique? La majorité de ces jeunes trouvent du travail à Terre des Hommes. L'appartement de Pierre est un peu leur plaque tournante. On s'installe un temps, après on prend son envol.

On doit s'attendre à de joyeuses fêtes! Des retrouvailles entre copains d'études, des discussions politiques animées. Pierre Bourque se réfugie le plus souvent possible dans sa chambre pour retrouver la paix et ses chers livres. Ce n'est pas lui qui initie les soirées animées, les grandes bouffes où couscous et vin rouge contribuent à réchauffer l'atmosphère. Mais il y participe. L'écologie, le retour à la terre, la religion, la philosophie, tous les sujets y passent, entraînant ces bâtisseurs d'un monde nouveau, ces horticulteurs enflammés jusqu'aux petites heures du matin.

Dans son désir de partager, chaque fois qu'il en a l'occasion Pierre Bourque entraîne ses amis. Un jour, ils sont allés au parc Lafontaine entendre le chef du Rassemblement pour l'indépendance du Québec, Pierre Bourgault. On va applaudir la chanteuse Pauline Julien.

Il leur montre le pays, jusqu'à Québec, jusqu'en Abitibi pour retrouver l'oncle Ernest, chasser avec lui; il leur fait prendre le pouls de ceux qui représentent la souche profonde, dure, l'idéalisme, la sauvagerie. Entre les mots de Félix Leclerc et les images réelles du pays, c'est sa manière à lui de se raconter.

Un après-midi, ils sont trois à l'appartement. On sonne à la porte:

— Police! Ouvrez!

Ils se regardent ébahis. La porte est ouverte brutalement, une arme braquée sur eux:

— Collez-vous au mur, mains en l'air!

Les copains s'exécutent, il semble que ce ne soit pas le temps de discuter.

Deux policiers vont d'une pièce à l'autre dans l'appartement, le troisième les surveille. Au bout d'un moment qui paraît une éternité, il les fait asseoir, collés les uns aux autres, au salon. Ils sont muets, cloués par la surprise et une peur viscérale, primaire, devant la force, devant l'arme.

Le policier qui fouille la chambre de Pierre Bourque à la recherche sans doute du *Petit Livre rouge* de Mao ramène, titres confondus, dans le désordre de son ignorance, Racine et Pouchkine. Dans l'autre main, il tient un fusil de chasse, une carte topographique de la forêt où chasse l'oncle Ernest. Il dépose le tout bruyamment par terre au milieu du salon.

Au tour de la chambre du Tchèque: en fouillant ses affaires, ils découvrent un passeport russe. Il y a de quoi faire des histoires avec ça! Ils déposent leur précieux butin une fois de plus sur le plancher.

Dans la chambre d'Émile, c'est encore mieux. Bricoleur, il s'est fabriqué un système à partir d'un réveille-matin, d'un bout de bambou, d'une corde qui, actionnée, accroche l'interrupteur, allume la radio! Ils sont sûrs cette fois d'être en présence d'un fabricant de bombes! Et sa sœur qui lui envoie des lettres écrites en néerlandais! Une langue que les policiers confondent avec l'allemand. De là à l'associer au révolutionnaire Cohn-Bendit, il n'y a qu'un pas... vite franchi.

C'est au tour des affaires d'Abder le Tunisien. Lui, il reçoit des lettres en arabe! Hum... La chasse miraculeuse!

Un des hommes trouve des choses étranges dans le congélateur... des poissons! Tout leur est suspect. On fait taper les colocs à tour de rôle sur la machine à écrire. Peut-être la provenance des communiqués du Front de libération du Québec va-t-elle ainsi être élucidée? Attentats, bombes qui explosent dans des boîtes à lettres surtout, toutes ces conflagrations terroristes étaient suivies de communiqués anonymes expliquant la nature patriotique du geste et exigeant la libération du Québec.

— Vous entendez ce qui se passe dehors? demandent les policiers, certains d'avoir gagné le gros lot.

Les sirènes de police s'activent bruyamment, en effet, mais pour autre chose. On leur fait croire que c'est pour eux. La tactique est efficace, les copains n'en mènent pas large. Ils ne doutent pas un instant qu'ils vont être arrêtés!

Tout à coup, l'un des policiers, plus consciencieux ou plus soupçonneux, retourne dans la bibliothèque de Pierre Bourque. Il met la main sur une photo qu'il tend aux autres. Regards incrédules, perplexes.

— C'est quoi ça?
— Vous ne le reconnaissez pas?

Les policiers n'en croient pas leurs yeux, mais ils doivent se rendre à l'évidence: ils viennent de reconnaître, photographié en compagnie de Pierre Bourque, monsieur le maire Jean Drapeau.

Quelques téléphones, un peu de brouhaha, de vagues explications, de plus vagues excuses, et c'est la retraite en douce.

Sauvés *in extremis* par Jean Drapeau, les trois copains encore sous le choc ont récupéré leurs effets et compris que tout peut arriver, que tout peut basculer, que les sociétés ne sont jamais à l'abri des abus de pouvoir.

Pierre Bourque prend conscience brutalement des dangers de l'extrémisme:

«Ma vie doit être respectée bien avant l'idéal du pays. C'est peut-être un mauvais calcul, mais c'est le mien. Les idéologies ont été trop souvent aberrantes. On n'est jamais à l'abri de la violence. Il faut vivre en restant conscient de cette fragilité.»

Les leçons personnelles

La vie n'a tout de même pas été si difficile pour lui jusqu'à maintenant. Rien des drames et des tourments que traversent plusieurs, seulement les difficultés courantes, les luttes ordinaires, la survie par le travail, la recherche d'un certain bonheur. Il rêve de voyages, il se sent appelé vers d'autres rivages, le pays a déjà ses frontières. Souvent le souvenir de ses années d'Europe lui apporte des bouffées de regrets. Il n'a pas tout vu. Il sait combien de torrents, de paysages il lui reste à découvrir.

Mais le quotidien est là, assez prenant du reste. Comment y échapper? Il a des projets en réserve. Des engagements. Les mois passés ont été tumultueux, exaltants certes, mais épuisants. Le travail d'abord, une barque énorme, des jours sans fin; il y a eu aussi les amitiés exigeantes, l'espace vital à partager, un certain manque d'intimité et surtout jamais de solitude apaisante, pas beaucoup de temps pour soi.

Toutes les questions qu'il s'est posées quelques années plus tôt sont restées les mêmes. Il trouve des avenues, il élague. Aider les autres, certes, mais il ne prendra pas de fusil pour défendre une cause. Il a découvert que les gens sont grégaires: dès qu'ils ont un problème, ils se fâchent vite.

C'est primaire, c'est dangereux un homme:

«Pour aimer l'homme, il ne faut pas le regarder vivre, car dès ce moment-là on vient à le détester.»

Fouilles, vilenies, trahisons... les horticulteurs de Terre des Hommes ne sont pas faits pour toute cette agitation. Comment a-t-on pu les prendre pour des terroristes? Traumatisés, las, ils préfèrent envisager de quitter la ville, chercher des lieux propres et purs où vivre en liberté plus près de leur vraie vocation.

Pierre Bourque, pourtant rempli d'enthousiasme, nourrit une certaine forme de pessimisme qui le fait réfléchir sur le devenir de la nature. N'est-ce pas utopique de parler d'écologie, de protection de l'environnement? N'est-il pas trop tard? Est-ce que nous n'avons pas fait déjà trop de ravages avec nos villes, la surpopulation, la monoculture, le déboisement, le remplissage des marais? Il ne subsistera peut-être que quelques oasis de verdure, de végétation, de forêts tropicales, que quelques grands parcs conservés pour les générations futures.

La géopolitique est sa passion. Il lit tout ce qui lui tombe sous la main, les journaux du monde entier, il suit les grands mouvements de pensée, la gauche, la droite, analyse, réfléchit. L'homme d'action, le scientifique nourrissent un romantisme compensatoire en ce qui a trait à l'avenir du Québec. Il s'engage: ce qui lui semble essentiel et honnête. D'abord, comme membre du Rassemblement pour l'indépendance nationale. Ensuite, il se rallie à René Lévesque lorsque ce dernier publie son *Option Québec*.

Il y a une forme d'agitation secrète en lui, un feu qui le tient éveillé souvent la nuit. Ce ne sont pas seulement la politique et ses remous qui lui causent de l'insomnie, mais tout ce qu'il voudrait entreprendre, réaliser, tout ce qu'il a déjà sur les épaules et qu'il ressent parfois comme une angoisse.

S'extraire des contingences quotidiennes lui est facile. Y revenir l'ennuie. Y a-t-il plus belle occupation que d'imaginer de quelle façon concrète on va atteindre son but?

Entre-temps, tout traîne dans la maison. Frugal, désintéressé, un peu ecclésiastique, il s'occupe plutôt mal de lui. Ses sœurs ont pris l'habitude, et le font encore, de débarquer chez lui à l'improviste, de redresser la chemise installée n'importe comment sur la corde à linge, de placer quelques plats nourrissants au frigo. Sinon, il grignote, ouvre une conserve. Il a déjà fait sienne cette devise: *Il faut s'élever au-dessus de la poussière du monde!* Tout s'explique!

Par contre, si on lui signifie qu'on a besoin de lui, il répond présent! Durant l'Expo, l'entretien des îles est un peu la filière par où beaucoup d'immigrants ont pu espérer vivre ici. Le frère d'un de ses amis tunisiens poursuit son rêve américain et veut faire fortune. La restauration est le secteur d'activité idéal. Les Montréalais découvrent la diversité des peuples et leurs cuisines et sont tout disposés à s'habituer au couscous et aux merguez. Cet ami s'engage à faire la cuisine.

— Veux-tu m'aider?

Au *Carthage*, 1429 rue Crescent, dont il est devenu propriétaire, il investit environ 15 000 $, une somme relativement considérable. Quelques rues plus loin, au carré Dominion, le maire Jean Drapeau vit la même expérience avec son *Vaisseau d'Or*.

Pierre Bourque, en bailleur de fonds responsable mais ignorant du fonctionnement de la restauration, met la main à la pâte, fait entreprendre les travaux de menuiserie, de peinture, de publicité. Il est responsable du loyer, de toutes les autres charges. Il organise l'ouverture officielle. Il veut que son ami réussisse. Il y a deux salles à remplir. Il faut en vendre des couscous! Évidemment, le permis d'alcool est à son nom.

Au bout de quelques mois cahin-caha, la femme du Tunisien et ses cinq enfants rappliquent. Cette charge supplémentaire lui fait négliger le restaurant. Pierre Bourque, pendant ce temps, sent la pression mais ne perçoit pas qui grouille et qui grenouille. Il ne sait rien des magouilles. Pour lui, bien des explications sont plausibles, il faut se faire une clientèle, être patient...

Mais on doit finalement se rendre à l'évidence: le restaurant ne marche pas. Il doit vendre. Il reçoit une offre de Marocains qui rachètent le fonds de commerce, à la condition qu'il conserve le permis d'alcool à son nom.

— Je ne connaissais pas ces gens. L'important était d'en finir.

Le 24 septembre 1971, il reçoit un mandat d'arrestation et doit se présenter à la Cour municipale. Il stationne la camionnette de la Ville rue Gosford et franchit les portes de l'édifice vers 8 h 30, heure à laquelle il a été convoqué.

— Je vous arrête!

Le policier le saisit par le bras et l'entraîne... derrière les barreaux, où là:

— Je me suis retrouvé en compagnie de tous les itinérants de la nuit.

Les nouveaux propriétaires avaient:

«... illégalement vendu, en dehors des heures permises pour cette vente, des boissons alcooliques que son permis ou la présente loi l'autorisent à vendre... Le ou vers le 12 janvier 1971 a illégalement eu en sa possession des bouteilles qui contiennent des boissons alcooliques autres que la bière ou le cidre léger et sur lesquelles n'est pas apposé le timbre de 5 % exigé par la Régie des alcools du Québec».

Le juge Herman Primeau libère Pierre Bourque de sa fâcheuse situation et Pierre Bourque se défait de toutes ses obligations dans les plus brefs délais.

L'expérience traumatisante a failli lui faire perdre sa chemise. Une leçon de choses qui a laissé un arrière-goût amer.

Il a appris de sa mésaventure deux leçons importantes: on ne fait bien que ce qu'on connaît et il faut être prudent même lorsqu'il s'agit d'aider.

Ce furent peut-être là les premières couches sédimentaires de sa carapace. Lucide désormais, sans haine, sans hargne, il va développer une indifférence protectrice qui trompe parfois sur sa véritable nature.

Aller voir ailleurs la source

Les colocataires de la rue Berri, dans une grande envie de fuir la grisaille, les murs de brique, les vicissitudes d'une époque troublée, parlent de retour à la terre, du grand plaisir qu'il y aurait à planter des choux.

Pour ces horticulteurs, c'est une envie fondée et non pas une mode. Ces spécialistes visent la vraie culture; ils ont de bonnes idées à mettre en chantier, connaissent les sols d'ici, les techniques d'agronomie et d'horticulture modernes.

Une page est tournée, un tournant s'amorce. Ces jeunes hommes dans la fleur de l'âge répondent aussi à un autre appel: aimer, bâtir une famille.

Le retour à la terre est un bonheur à cultiver. Tout simple. Un éden qui vaut cent fois mieux que le faux paradis des citadins prisonniers d'une sorte de folie. Ils ne sont pas dupes, cette aventure exigeante n'est pas exempte d'échecs.

Quelques amis, dont Jacqmain, ont pris la clé des champs en emportant dans leur balluchon leurs rêves d'un monde meilleur où tout serait à défricher, à inventer. Une femme aimée au bras.

Pierre Bourque reste seul. Bohème et sage, il se contente de peu. Il ne se rend pas compte de la vétusté des lieux, ne sent même pas le froid. Comme toujours réfugié dans sa musique et ses livres. Il visite de temps en temps ses amis, sa famille. Et son travail prend toute la place.

Il s'interroge tout de même, attentif à ce qui l'émeut. Pour un peu, il voudrait que le monde s'évanouisse autour lui. Il voudrait se fondre dans la multitude des heureux qui connaissent l'amour un jour toujours. Et qui ont de tels yeux! Ces yeux aux reflets gais, bêtas peut-être, mais lumineux du coup de foudre amoureux.

Il veut s'accorder le droit d'y croire. Vivre normalement. Trouver dans les bras d'une femme douce ce qu'il faut de force pour poursuivre. Une vraie chaleur rassurante. S'y lover, s'y perdre:

«J'aime chez une femme ce qu'elle possède sans s'en douter.»

Ce serait sans doute un bon choix de partager avec une femme les mêmes rêves, de faire un bout de chemin ensemble. Il a l'exemple de ses amis sous les yeux. Ils ont l'air heureux. Il les envie.

Durant quelques mois, il va donc vivre son rêve d'une Terre des Hommes éternelle. Il poursuit sur sa lancée. Le travail est diversifié, intense; le fonctionnaire doit faire des rapports, compléter des formulaires, rédiger des lettres. Il est autorisé à demander au secrétariat du Jardin botanique une aide ponctuelle.

Voilà comment le destin agit.

5

L'AUBE D'UNE VIE NOUVELLE

«Un oiseau chante, au bord d'un lac, dans un bouleau;
Et cependant que l'arbre a son écho dans l'eau,
Une irréelle voix répond, de l'autre rive.
‹C'est l'âme-sœur›, se dit l'oiseau. Lorsqu'il arrive,
Vibrant d'aile et d'espoir, sur l'autre bord, la voix
Encore plus loin s'est envolée, au fond des bois.»
ROBERT CHOQUETTE

C'est tout plein de joie durant le jour. Pierre est gai, léger. Elle arrive le soir, elle part le matin et laisse son parfum de femme.

Elle est charmante cette jeune secrétaire, employée de la Ville attachée au Jardin botanique. S'il lui apporte de la copie, des lettres à taper, des rapports à dactylographier, elle s'exécute gentiment. Il aime sa réserve, sa compétence, cet éclat de rire dans ses yeux. Assuré, fonceur, avec cette espèce de charme auquel personne ne résiste, il ne la laisse pas indifférente non plus. «Pourtant, il n'est pas particulièrement beau», pense-t-elle. Qu'est-ce qui lui plaît alors? Sans doute l'éclat fauve de ses yeux. Sans doute la force de ses bras. Leur collaboration complice se mue en tendresse.

Les fins de semaine, ils vont explorer les bois, loin jusqu'à Mont-Tremblant, laissant derrière eux la grisaille. Guidés par *La Flore laurentienne* du frère Marie-

Victorin, ils identifient tout ce qui se trouve sous leurs pas.

— Regarde là-bas une jeune pousse de mélèze!

On les imagine, courbés, rapprochés sous le porche des arbres, leurs têtes se frôlant, les mains animées, l'oreille aux aguets. Car ce qui chante dans le feuillage les émeut autant que ce qui pousse et depuis peu ils sont devenus membres d'une société d'ornithologues.

Attentifs aussi aux bruits nouveaux de leurs cœurs. Murielle, qui ne connaissait rien des fleurs ni des bois, apprend beaucoup de ces expéditions et mesure la science de Pierre. Car ce qu'il sait est phénoménal. Mais ce qu'elle découvre dans ce qui pourrait n'être que simplement bucolique, c'est la générosité qu'il met à partager cette science, à transmettre son enthousiasme.

Il faut le suivre, alerte, sur tous les sentiers. Son esprit est emporté dans une sorte de délire de plaisirs, de découvertes. Il se met lui-même à l'épreuve, défie sa mémoire, repousse les zones d'inconnu.

L'amour a le don d'éveiller en lui des torrents d'énergie. Aller voir sur l'autre versant de la butte, explorer un nouveau sentier, s'asseoir sur une pierre, tremper ses pieds dans l'eau fraîche. Étrange magie.

Et quelle joie d'avoir à ses côtés une femme témoin de ses trouvailles botaniques! Un auditoire intime et tendre. Il lui tend la main pour franchir une ornière:

— Tu n'es pas le même homme dans la forêt!

Murielle veut lui dire qu'en société il est différent. Elle l'aime ainsi pour elle seule, elle n'a pas besoin de parler beaucoup. Il est le seul témoin de ce qu'elle est au fond d'elle-même. Elle s'est sentie parfois étrangère dans ces grandes discussions en compagnie de ses amis, ces gens venus de si loin.

Il rit franchement. Cette déclaration comme un cri du cœur, il l'accepte, la comprend. Et elle lui fait révéler une idée qui germe en lui depuis longtemps déjà:

— Si on s'achetait une ferme?

Quelques semaines plus tôt, il lui confiait pourtant:

— J'aimerais aller travailler en Afrique.

Le présent immédiat l'emporte. Prêt à plonger dans une nouvelle aventure, raisonnable, responsable. Emporté par l'enthousiasme amoureux.

Depuis quelques mois, les fiancés se fréquentent assidûment, mais personne n'en sait rien, du moins au travail. Ce secret le mieux gardé du monde leur demande des prodiges de chuchotements et de cachotteries. Ils ne veulent pas susciter de jalousies, encore moins subir les réflexions mesquines ni les railleries. Et n'y a-t-il pas une certaine excitation à s'aimer ainsi?

Après des approches classiques: dîners à la chandelle, cinéma, les choses se précisent. À la Saint-Valentin, ils vont entendre Georges Dor. Il lui offre l'album et le livre du poète qu'il lui dédicace par une phrase de Félix Leclerc:

«Si tu n'aimes pas le monde dans lequel tu vis, change-le ou change de monde.»

Un tel message ne tombe pas dans l'oreille d'une sourde. Elle veut justement lui faire remarquer que le fils du conseiller Bourque, le grand voyageur qui parle si bien et sait tant de choses, celui qui a des amis européens, certains gentils d'autres pas, lui donne parfois des complexes.

— Je suis sans prétention, simple, lui dit-elle.

«Il va me prendre telle que je suis», pense-t-elle.

Entre-temps, ils ont rencontré l'oncle Ernest. Le jeune couple reçoit sa bénédiction, étape essentielle dans la suite des événements.

— Je suis content que tu te maries avec elle, chuchote le vieil homme à son fils spirituel.

À une fête organisée chaque année par le directeur du Jardin botanique, M. Yves Desmarais, Pierre décide de faire l'annonce officielle de ses fiançailles. Murielle a hérité de sa future belle-mère une fort jolie bague à diamants.

— Comment! C'est vous? s'exclame le directeur en voyant arriver chez lui la secrétaire du Jardin.

Durant un an et demi, il n'a rien vu de l'amour qui s'épanouissait sous ses yeux. Bien d'autres choses lui ont échappé aussi.

— J'ai besoin d'une vie plus calme, assure le jeune homme de 27 ans.

Il se plaît à se comparer au junco, un oiseau libre, indépendant. Le mariage n'est pas une finalité, c'est le moyen d'appartenir à la grande famille des hommes, d'accomplir le rite établi par eux.

Murielle Desrosiers et Pierre Bourque se marient le 6 mars 1970. Un vendredi après-midi. Comment pourraient-ils avoir oublié le jour? Ils ont rêvé d'une cérémonie toute simple, discrète, au Palais de justice de Montréal, situé à ce moment-là sur Saint-Denis, coin Bellechasse.

Tous les deux ont depuis longtemps abandonné la pratique religieuse et tiennent à se marier civilement. La légitimité de ce genre d'union vient tout juste d'être reconnue et convient parfaitement à leurs croyances. En dépit de ce que cette décision peut entraîner de déception chez leurs parents respectifs, ils ne veulent absolument pas aller à l'encontre de leurs principes.

— On se sentirait hypocrites, explique Murielle à ses futurs beaux-parents qui sont les plus déçus.

Joseph-Benoît a refusé d'être le témoin de son fils. Jusqu'à la dernière minute, il a tenu tout le monde en haleine, puis il a cédé.

Lorsque le jeune couple est sorti de la salle du mariage, ils ont été entourés d'une horde de journalistes et photographes, en majorité des anglophones, venus les interroger sur les motifs de leur choix.

Sans le savoir, ils étaient le premier couple non divorcé à se marier civilement.

Les huit enfants Bourque, les trois enfants Desrosiers, les parents ont eu droit à une belle noce, joyeuse, sans prétention. Les jeunes mariés ont arrosé le tout de rosé de Neuville et repris pour leur voyage de noces la clé des champs.

En ce début de mars, s'il est encore trop tôt pour voir fleurir l'hépatique, ils ont tout de même pu, dans le silence des bois, en raquettes, voir fleurir leur amour.

6

LE JARDIN
À FAIRE
REFLEURIR

«Ils ont brisé la solitude de tous les arbres
La solitude de chaque arbre seul et de tous les arbres ensemble»
SAINT-DENYS GARNEAU

— Je ne veux pas d'un tel poste! Je suis bien ici.

Il est heureux sur ses îles. Épanoui. En harmonie avec le décor, avec ses arbres, l'air du fleuve vivifiant, auréolé du succès de ses travaux. Il en sort éclatant.

Que perdure le rêve. Entêté. Fermé. Comment peut-il imaginer un lieu plus stimulant que celui-là?

— J'ai peur de ce que je vais trouver, confie-t-il à son ami Jacqmain en parlant du Jardin, où le maire Jean Drapeau veut le voir mettre de l'ordre.

«C'était un homme discret, un grand travailleur. Il portait en lui l'horticulture», se souvient Jean Drapeau.

Il n'a pas le choix. L'administration municipale le presse d'accepter le poste de chef de section responsable des jardins extérieurs au Jardin botanique. Le fonctionnaire a toujours placé haut la vertu de la loyauté et ne se fera pas prendre en défaut de mépris de l'autorité.

Ce qui lui faisait si peur ne sortait pas tout droit de son imagination. En 1969, il trouve le Jardin dans un état lamentable, pénible même, refermé sur lui-même, psychologiquement clôturé. Un monde clos, sordide, microcosme d'une société décadente. Laissons plutôt Pierre Bourque décrire ce qu'il a découvert au cours de ses premières visites:

— J'ai trouvé dans le bâtiment du Jardin et dans le Jardin lui-même plus de bouteilles de 24 onces d'alcool que de fleurs.

Il y a pire. Il glane rapidement les récits des victimes. Le Jardin est un lieu de débauche où les écarts sexuels, homosexuels, harcèlement et intimidation, ne se comptent plus. C'est le régime d'un laxisme bien caché sous le bosquet.

Fainéantise, perversion et incompétence. Des tours d'ivoire, des clans. Avec cette assurance du rideau formé par les grands arbres et la clôture, la délinquance fleurit.

S'il était arrivé seul au Jardin botanique, Pierre Bourque n'aurait pas survécu. Les forces négatives étaient vives et, se sentant menacées, prêtes à réagir.

— Nous avons été reçus comme des chiens dans un jeu de quilles. On nous observait comme si nous avions été des êtres bizarres venus d'une autre planète, raconte Émile Jacqmain.

Mais les horticulteurs de Terre des Hommes, forts de leur nombre et de leur science, ne s'en laissent pas imposer. Comment le directeur du Jardin, Yves Desmarais, ancien professeur à l'Université Laval, n'a-t-il rien vu de ce qui se passait?

Dépassé sans doute par les événements... Soumis aux plus forts, muselé?

Avec Pierre Bourque, il faut que la vie règne:

«Les jardins ont depuis des siècles façonné les civilisations, exprimant et témoignant de la relation privilégiée entre la nature apprivoisée et l'homme.»

Mais avec le Jardin moribond qu'il a devant lui, il est loin de son idéal. Une telle situation le fouette. Le nouveau responsable n'est plus seulement un rêveur. Conscient de l'importance de sa tâche, il n'accepte pas de se heurter à quoi que ce soit qui mette en péril le but à atteindre.

Dans ce Jardin lamentable, délabré, il faut mettre de l'ordre. Retrouver le sens de sa vocation première. Il est dit que la nature tend vers le désordre et vers la mort. Ce désordre ne signifie pas anarchie. C'est ce qu'il comprend.

L'ordre doit d'abord être en soi, et il l'est. Il sent jaillir des forces lointaines. Une cohérence émerge. C'est en partie ce qui fascine chez lui: à partir de ce qu'il imagine, il surmonte tous les obstacles.

Il se souvient du Jardin de son enfance, des après-midis avec son frère, de ses travaux d'enfant, premières découvertes, premiers herbiers. C'est ici qu'a germé l'idée maîtresse dans la bienveillance éclairée de son patron Joseph Dumont, celle de le voir entreprendre des études en horticulture. Ce Dumont avait certes de la vision.

Et l'ombre du frère Marie-Victorin hante le sous-bois abandonné aux esprits malfaisants. «À qui appartient ce Jardin?» songe Pierre. Ni à lui, ni à la Ville, ni même à celui qui l'a fondé:

«Je sais que vous comprenez ma pensée profonde, écrit le frère, peu après l'ouverture officielle du Jardin. Vous savez que je ne suis mû en cette affaire par nulle pensée égoïste. Vous en apercevez, comme je l'aperçois, l'immense portée éducationnelle et morale. Des milliers et des milliers de gens trouveront un peu de repos et d'apaisement; des milliers et des milliers d'enfants trouveront la joie de l'esprit, parce que moi, Marie-Victorin, j'aurai eu assez de vision et assez de ténacité pour créer cela...»

On ne doit pas trahir la volonté du frère Marie-Victorin. On doit redonner aux Montréalais une institution qui leur revient de plein droit.

Les îles paraissent soudain plus lointaines. Pierre Bourque est pris, absorbé, happé par ce nouveau défi. Car la vocation de servir, le sentiment d'être utile, le goût de sauver s'éveillent dans le fouillis de mauvaises herbes.

En de courts instants intenses, sur place, il découvre ce qu'il doit faire. Tout ce qu'il a appris au plan technique en botanique va lui servir sur ce champ de bataille. Tout ce qu'il sait des êtres, sa patience, et Dieu sait qu'il en connaît les vertus, sa foi vont lui permettre d'agir.

Ses longues jambes arpentent les sentiers à la dérive. Les yeux vifs, froids, jaugent les arbres rabougris, toisent les pépinières dépeuplées, perçoivent ce qu'il y a à récupérer, mais aussi, pour la première fois sans doute, ce que cet immense Jardin pourrait devenir.

— Holà! il faut nettoyer ça!

Un regard, un geste. Les coéquipiers, les amis dont Jacqmain, savent d'emblée où sont les priorités, ce qu'il faut entreprendre. Pierre Bourque compare la tâche aux travaux d'Hercule, au nettoyage des écuries d'Augias. Ça ne traîne pas. Les véhicules qui étaient à l'arrêt ou en panne depuis longtemps sont remis en marche. Le boulot doit être fait, c'est tout! Élaguer, nettoyer, moderniser l'équipement, sortir le Jardin du Moyen Âge...

— On a relevé nos manches, se souvient Émile Jacqmain.

Dans ce simple geste, toute la détermination impassible des bulldozers, auxquels rien ne résiste. Le raz-de-marée implacable met fin à l'oligarchie et au despotisme. L'astuce paysanne forte et sereine prend le dessus.

Les troupes adverses retraitent. L'organisation morbide fuit sous d'autres cieux. Le Jardin peut enfin respirer un air nouveau. Formé à l'européenne, Pierre Bourque est convaincu que nous devons compléter l'œuvre du Créateur et agir sur la nature en faisant intervenir la raison dans une action cohérente.

Il lui incombe de nettoyer physiquement mais aussi de rénover moralement, de donner une orientation à cette grande étendue de verdure montréalaise. Des rancunes ont pu naître. Des antipathies.

Mais la haine n'a pas sa place dans ce nouvel humus.

Saint-Sulpice

Ce n'est pas qu'il assiste joyeux au déclin des îles de Terre des Hommes, mais il doit admettre qu'il a bien fait d'aller au Jardin.

— C'est la meilleure décision, peut-il conclure, rasséréné, dans ses discussions avec Murielle et ses amis.

Il s'en passe des choses en cette période fertile et riche! Pour ne parler que du travail, l'Université de Montréal, qui n'a pas encore mis sur pied sa faculté d'aménagement, lui demande de donner un cours d'horticulture à de futurs architectes paysagistes. Ce besoin est né dans la foulée de l'Expo. Les quelques spécialistes de cet art, on les compte sur les doigts d'une main, ont étudié aux États-Unis.

Le petit groupe de quatre étudiants du début se gonfle avec les années. Les premiers architectes paysagistes formés au Québec reçoivent leur diplôme en 1973. Jolie cuvée dont l'imagination est sans bornes. De nombreuses idées viennent enrichir déjà le Jardin botanique. Sous l'impulsion du patron, ils se mettent à creuser des étangs, à concevoir l'*arboretum*, le ruisseau fleuri, etc. Le Jardin rayonne déjà. Il enfonce ses racines, déploie ses ramifications.

Le professeur Bourque transmet sa science pendant 10 ans. Il explique les plantes, les indigènes et les cultivées, les arbres et les arbustes. Il peut discourir une heure sur le prunier. Inspiré. Les promenades au Jardin donnent corps à sa matière, il aime ce contact quasi intime, entremetteur entre la nature et lui. Il observe germer dans le regard attentif de ses étudiants ce qu'il y sème. C'est une joie immédiate. Ses étudiants découvrent, identifient, apprennent les codes secrets et la vie entre les feuilles. Le professeur peut répondre à toutes les questions.

L'examen final a lieu dans son bureau. On ne s'embarrasse pas de théorie, le professeur saisit le vif du sujet. Il a aligné sur une table 100 boutures différentes:

— Identifiez ces rameaux et ces feuilles...

Au printemps, Pierre Bourque est marié. Si l'appartement de la rue Berri convenait à une certaine bohème communautaire, il ne répond certes pas aux besoins d'un jeune couple.

La visite policière, sans doute le résultat d'une fausse piste lancée du Jardin, a laissé un goût amer. Dans la foulée des longues discussions, parce que certains des amis ont déjà mis ce projet à exécution, il a très envie d'aller s'installer à la campagne:

— Je rêve d'une vie plus tranquille.

Murielle ne proteste pas. Son mari est très sollicité, il a bonne presse, son charisme attire les sympathies les plus diverses, dans tous les milieux on veut se l'accaparer. Lui-même a du mal à résister aux appels car tout nouveau projet l'emballe. Il n'a pas 30 ans et son énergie est redoutable.

L'épouse cherche sans doute une forme de paix, la possibilité d'établir une vie de couple un peu plus fermée. Des enfants? Le désir est présent.

Ses parents viennent de se porter acquéreurs d'une petite maison près de Saint-Sulpice. Ils leur rendent visite un dimanche et au cours de cette balade exploratoire dans la région ils découvrent au Ruisseau-des-Anges, à Saint-Roch-de-l'Achigan, une jolie ferme isolée.

Le jeune couple emballé doit se méfier de tout emportement hâtif. C'est précisément le trop grand isolement qui les fait hésiter sur le conseil du beau-père. Pas d'autobus en plein champ!

— Ce serait une erreur d'aller vivre là!

Sur le chemin du retour, ils tombent en arrêt devant une vieille maison restaurée des années 1900, lambrissée de lattes de bois et située en bordure du fleuve à Saint-Sulpice. Trois arpents de terre, des bâtiments, une vue splendide, la paix. Ce coup de cœur, ce n'est pas le style de la maison qui le provoque, mais l'environnement. Pierre Bourque a-t-il pressenti l'âme de ses ancêtres dans ce paysage accidenté de champs et de vallons?

Le propriétaire en demande 25 000 $. Pour le couple modeste, c'est une somme importante et une décision tout aussi grave puisqu'elle entraînerait un virement de cap. Discussions, réflexions, consultations. Depuis qu'il l'a vue, Pierre Bourque en rêve, il sait ce qu'il pourrait en tirer, il s'imagine déjà aux champs à cueillir des fraises, déjà à sa fenêtre à regarder couler le fleuve et à goûter Beethoven.

Il est persuadé que c'est une bonne affaire et le lundi il offre ce que Jean Raffin, propriétaire aussi d'une librairie de Montréal, en demande. En échange, il obtient que les Raffin abandonnent leur mobilier de salle à dîner en chêne et à pattes de lion: une table, huit chaises et un buffet, de même que leur mobilier de chambre en merisier, une coiffeuse à trois miroirs. Ce n'est pas peu de chose: le couple connaît des débuts modestes et ces meubles, par leur style, leur histoire, ont de quoi exciter l'imagination et donner une âme à leurs vieux murs. En quelques semaines, la maison leur ressemble, leurs souvenirs, les objets qui ont jalonné leur parcours font désormais partie du décor, des plantes vertes généreuses et luxuriantes animent les pièces du rez-de-chaussée. Aucun tape-à-l'œil. Seule coquetterie de cette maison ni prétentieuse ni bourgeoise: une vue imprenable sur le fleuve.

Au cours du premier été, ils vendent leur récolte de fraises. Le revenu leur permet d'installer un nouveau système de chauffage. C'est l'une des premières exigences de Murielle, car le deuxième étage de la maison est plutôt froid.

Durant l'hiver, les fins de semaine et les jours de congé, Pierre s'amuse à bricoler des cabanes d'oiseaux. Ce n'est pas sa force, le bricolage, mais avec des amis il se sent stimulé. Il peut encore réparer de petites choses, mais si on veut vraiment qu'il soit efficace, on ne l'installe ni aux fourneaux ni à l'atelier, mais aux champs!

La première année, c'est un véritable défoulement agricole qui l'anime. Comme toujours, il veut transformer les choses, rien ne peut rester immobile au bout de son regard. Pierre laboure et sème, Murielle récolte. On assiste à de grandes corvées amicales, conviviales, de mise en pots des endives, des poireaux, le tout agrémenté de grandes bouffes. Les amis, les voisins viennent leur rendre visite, la maison est remplie, la table toujours garnie. Sur le tourne-disques, en permanence, les

chansonniers québécois, français, un Jean Ferrat qui
questionne: «Faut-il pleurer, faut-il en rire?»

Murielle ne prend pas encore toute la mesure de
cette invasion constante, mais sent confusément en
elle grandir le malaise. On observe qu'ils sont dif-
férents. L'une veut refermer le couvercle, l'autre veut
faire sauter les digues.

La même année, elle abandonne son emploi de
secrétaire à la Ville de Montréal. Des tâches nouvelles l'attendent.

Saint-Sulpice. Il en connaît les moindres recoins:
la route qui y mène de Montréal, toutes les courbes,
le kilométrage exact, le boisé, le quai du chemin du
Bord de l'eau, la direction des vents, les gels et dégels
du fleuve. Les gens qui y vivent. L'île Bouchard en
face de la maison abrite des sauvagines et des oies
blanches.

Il fait le trajet tous les matins, tous les soirs, beau
temps mauvais temps. Quand il arrive chez lui, même
si ce n'est que pour quelques heures, il en profite
pleinement. Il goûte avec volupté le calme et le
silence; ses journées au Jardin sont souvent longues,
belles journées, quelquefois dures journées.

Il est bien entendu que le premier réflexe de Pierre
lorsqu'il s'installe à Saint-Sulpice est d'apprivoiser
l'alentour. D'en prendre possession.

Le voilà sur ses terres donc, une grange à démolir, un jardin à entretenir, une maison à rafistoler. En peu de temps il est enraciné. Mais il ne faut pas s'y tromper. Ce n'est pas un enracinement unique. Tout l'intéresse, tout le passionne. Si on le réclame, et on le réclame toujours, il n'hésite pas et saute dans la mêlée.

Un autre champ de bataille

Là où tu es, tu agis pourrait être sa devise. Le Parti québécois est celui qui cristallise le mieux, comme chez nombre d'autres concitoyens, ses rêves et ses aspirations nationalistes. Fortement imbibé, porté par des promesses qui le touchent, notamment celle du zonage agricole, il ne peut faire moins que s'engager. Ce n'est pas la politique active qui l'intéresse, du moins comme on l'entend habituellement; il n'a pas d'ambition électorale. Il veut travailler à transformer les mentalités, faire évoluer les idées, changer le monde.

Dès les débuts du Parti québécois, Pierre Bourque est devenu militant. Il a travaillé et contribué, avec d'autres, dans le comté de Saint-Jacques, à l'élection du candidat Claude Charron. Six mois après son arrivée à Saint-Sulpice, il continue sur sa lancée activiste et, avec son enthousiasme et son charisme, est nommé sans peine président du Parti québécois dans son comté, L'Assomption.

Alors qu'il assure la présidence dans le comté, il entreprend de faire réaliser la première ferme coopérative, un immense potager situé sur une terre à Mascouche qui alimente en légumes une centaine de familles pour une année entière. Ce projet connaît un impact à travers le Québec et est accueilli avec beaucoup de curiosité, au congrès général du PQ notamment.

Au fil des années, sans doute forgée, influencée par ses nombreux voyages, sa pensée péquiste initiale a pris du plomb dans l'aile, s'est nuancée. Il est devenu internationaliste. Chez lui, ce n'est pas une mode, il ressent véritablement de la passion pour les êtres d'ailleurs.

Cela a engendré une forme de malaise, des questions qu'il continue de se poser à lui-même, incertain des réponses:

«Je ne sais pas s'il faut proposer l'indépendance du Québec. Ne faut-il pas plutôt voter pour un statut particulier à l'intérieur du Canada? On ne peut pas être indépendant si on s'attache à la structure même du pays. Par contre, je ne pourrais que voter oui à un référendum sur l'indépendance. Par solidarité avec le peuple québécois.»

En 1975, un an avant l'historique élection de 1976, le candidat défait du comté, Pierre Desjardins, décide de ne pas se représenter. Pierre Bourque reçoit un téléphone de Jacques Parizeau qui l'invite au restaurant pour lui annoncer son intention de se présenter comme candidat dans L'Assomption. Un peu plus tard, le Dr Camille Laurin fait la même démarche et lui fait part des mêmes intentions.

La vedette du Parti et son vice-président! Situation délicate s'il en est! Pierre Bourque convoque une assemblée des militants et les place devant le choix.

Le jugement de Salomon, comme on a appelé celui de Bourque, a fait fureur. Jacques Parizeau a remporté l'investiture.

A-t-il été approché par René Lévesque pour qu'il soit candidat? La rumeur a circulé au début des années quatre-vingt, mais le principal intéressé nie formellement. Ce ne fut qu'une rumeur.

«Leadership ferme appliqué en douceur», disait-on dans l'entourage de Jacques Parizeau en parlant de Pierre Bourque.

Tout le monde admirait le dynamisme de ce bourreau de travail, son talent à convaincre.

Il faut se rappeler que les années 1973 à 1976 ont été difficiles pour René Lévesque à l'intérieur du Parti: leadership contesté, nuances dans l'idéologie. Pierre Bourque, d'une main de maître, réussissait sur son terrain à ramener les troupes en harmonie autour du chef. Il en faisait une question de principe, de loyauté!

Après la victoire péquiste de 1976, tous les partisans qui le côtoyaient l'ont remarqué, Pierre Bourque s'est retiré.

On admettait, puisqu'il s'agit de sa nature profonde, qu'il aille vers de nouveaux défis.

— Je suis heureux de ne pas avoir fait de politique active.

Il faut dire que le Jardin prend toute la place. Il y a aussi la lutte dans Saint-Sulpice. Et les Floralies internationales qui se préparent.

Les sources d'inspiration

1972. Pierre a envie de lui montrer la France, celle qu'il a gardée vivace dans sa tête. Sa France à lui: celle des paysages, des fleurs, celle des amis qui les attendent avec impatience.

Il veut lui faire partager ses merveilles, partir avec elle à la découverte de ce qu'il ne connaît pas encore. Le projet les emballe, surtout Murielle puisque c'est son premier voyage européen.

Elle planifie, organise, réserve les hôtels. L'itinéraire est le sien, choisi par elle. Son enthousiasme la fait se pencher des heures entières sur les cartes routières, elle va chercher la documentation sur les différentes régions, bref, ce voyage elle le veut magique, sans anicroche. Elle est si bien préparée qu'elle sait par cœur les routes à suivre et peut, là-bas, faire face à tout impondérable. Son mari lui laisse toute l'initiative. À la fois heureux de se laisser... organiser et conscient du bonheur qu'elle vit par ce projet.

C'est une sorte de voyage de noces qui dure 42 jours. En laissant derrière lui les contraintes domestiques, le quotidien plat, Pierre Bourque devient tout autre. S'épanouit. Il est dans son élément. Un avion, un port de mer, une valise. Une montagne à l'horizon. L'espoir d'apercevoir d'autres images, d'entendre d'autres voix le transforme.

Il sait être épicurien, jouisseur. Les sens en éveil, prêt à saisir ce qui palpite. Rien ne le bouleverse davantage qu'un beau paysage. Et si on ajoute un coucher du soleil, une table dressée à une terrasse, la brise caressante, une femme belle aux yeux brillants, un bon vin, des mets nouveaux, c'est le bonheur! Il en profite, s'exclame, ronronne.

Ces moments suspendus dans le temps et l'espace, ce bonheur parfait, il en chérit longtemps en lui l'empreinte. Ces plaisirs délicats, nuancés, c'est un peu sa porte de sortie, son refuge lorsque tout va mal et que la grisaille reprend droit de cité.

Mais sur les routes de France ou d'ailleurs, les moments d'arrêt sont rares. Le rythme est soutenu. L'enthousiasme alimenté par demain: ce qu'il y aura à faire, ce qu'il y aura à voir. Avancer, aller voir derrière la colline.

Ces 42 jours-là ont été des jours bénis pour un Pierre Bourque en quête d'idées. Il fait déjà tout pour le Jardin botanique, traverse des villages fleuris.

Partout des concours d'arrangements floraux: le plus petit patelin est concerné, c'est une question d'honneur et de fierté.

Ce que Pierre Bourque remarque en premier lieu dans cette idée géniale, c'est qu'elle mobilise les gens autour de la beauté. Rien de tel pour le séduire. Il rentre chez lui avec un projet de plus à explorer.

Les Jeux passent

L'admiration est réciproque avec le maire. Pierre Bourque est devant un homme fort qui ne se sent pas menacé. Qui ne prend pas ombrage de son succès. Qui ne craint pas les idées des autres. Il peut aller de l'avant sans craindre d'outrepasser l'éthique traditionnelle du fonctionnaire: l'invisibilité, la discrétion.

D'une certaine façon, il fascine son maire. Jean Drapeau l'écoute volontiers et, même s'il le trouve un peu jeune, il prend souvent en considération ses points de vue. De quoi rassurer le haut fonctionnaire. Le patron est content.

Le maire prépare fébrilement son dernier projet, l'un des plus prestigieux, les Jeux olympiques. Un énorme rêve qui va avoir des répercussions dont on est loin, en 1974, de mesurer l'ampleur.

Pierre Bourque est invité à venir rencontrer le maître d'œuvre du Stade olympique, l'architecte Roger Taillibert, en compagnie de Jean Drapeau qui cherche sans doute comment faire travailler ces deux hommes ensemble.

Pierre Bourque est inquiet. Il pense que le Stade a besoin de verdure et il s'exprime ainsi:

— Vous devriez mettre des arbres dans votre plan. Il y a beaucoup de béton! C'est froid, le béton! On est déjà un pays tellement froid.

L'architecte lui jette, méprisant:

— Oh! vous et votre jardin de curé!

Foudroyé, rien de moins, Pierre Bourque a tourné les talons, emportant en silence une résolution ferme. Il ne se mêlera pas des Jeux.

Comme souvent, comme toujours, de retour au Jardin il est allé marcher. Reprendre contact avec une forme de vérité qui lui est essentielle. Tendu.

Il se réfugie dans la nature, tout près, à portée de main. Celle qu'il voit grandir chaque jour. Il se calme. Dans l'air frais d'un après-midi presque désert au Jardin, il prend le chemin des écoliers, celui des sentiers où à chaque détour il sait ce qui s'en vient ou est là déjà. Il agit ainsi avec les visiteurs qu'il aime; il les entraîne dans des découvertes uniques. À travers sa leçon, comme un Jean-Jacques Rousseau arpentant ses terres, l'horticulteur en chef devient poète.

Avec les années, il a élargi ses horizons, raffiné son entendement de la biologie, de l'aménagement du territoire, toutes sciences de la nature qui lui sont si familières. Une promenade avec lui devient une aventure passionnante.

Cet après-midi-là, par exemple, il entraîne l'un de ses principaux collaborateurs dans un Jardin à lui aussi familier que ce rituel du patron. Pour être convié à cette marche-démarche, il faut avoir gagné depuis longtemps sa confiance.

— Viens, je dois te parler.

Moments privilégiés pour complices seulement. En période de crise, la discussion est d'autant plus fertile. Le partage de l'émotion va cimenter un peu plus l'affection. Pierre Bourque aime cette complicité, le caractère viril d'une amitié basée sur une sorte d'admiration réciproque, de communion de pensée, de sensibilité commune.

S'il veut maintenir l'espoir chez les autres, il doit d'abord l'entretenir en lui-même.

— Méthode chinoise! Méthode chinoise!

Garder comme l'aigle une vue d'ensemble de la situation, comme la souris la vision des détails. Le cri de ralliement est lancé.

Facile? Difficile? Peu importe! L'important, c'est d'agir.

— Par où est-ce qu'on commence?

7

LES ENFANTS DU MONDE

«Les enfants quand ils pleurent sont plus heureux que nous quand nous rions. Et quand ils sont malades ils sont plus malheureux que tout au monde. Et plus touchants. Parce que nous sentons et qu'ils sentent bien que c'est déjà une diminution de leur enfance.»
CHARLES PÉGUY

Bangkok la nuit. Un quartier malfamé, des bordels à tous les pas. Les bruits. Les cris. Les odeurs d'épices et d'égouts. Le dégoût. La pluie a laissé la chaussée poisseuse.

Les deux hommes remarquent sur le pas des portes des enfants qui sommeillent, d'autres qui veillent, regard vide, en tendant la main.

— Regarde, Pierre, je voudrais les prendre tous.
— Qu'est-ce qu'on pourrait changer pour qu'il n'y ait plus cette misère?
— Regarde, Pierre, la merde. Ça te tenterait pas qu'on agisse?
— Oui. Mais bien le faire.
— Avec quelques dollars, les prendre, les guérir d'abord. Des infirmes, des affamés. Le trottoir regorge d'êtres abandonnés, rejetés.

Georges Brassard a cueilli les insectes du monde. Il voudrait recueillir les enfants.

141

— Les enfants malades, c'est plus dur que la faim. Ça prend plus d'amour que de connaissances.

— On pourrait commencer dans un premier pays qui rayonnerait sur d'autres. La République dominicaine? Haïti?

— Il faudrait rendre les marais salubres. On pourrait fonder un petit Jardin, ou autre chose pour ramasser des fonds.

— Faire quelque chose qui donnerait de l'espoir.

L'agenda les a ramenés sur d'autres rivages, ils sont revenus au bercail, ont repris leur travail, poursuivi leur mission respective. Mais ils n'ont pas oublié. Dans leurs conversations muettes, au fond de leurs yeux, les trottoirs de Bangkok, le scandale des enfants. Semer un peu d'espoir…

La pérennité

La mélodie cristalline s'envole, légère, dans l'air matinal. Il a laissé entrouverte la porte de la maison pour ne rien perdre de ce piano. Beethoven le comble d'une joie sensuelle et pure.

Il porte son vieux pantalon de velours côtelé et par-dessus sa chemise un chandail de laine rêche. Assis dans les marches de l'escalier, un café fumant près de lui, il mêle son regard au courant du fleuve un peu jaune ce matin-là et où flotte une brume légère. La neige a fondu, dégouline encore du toit par endroits. Le mois d'avril peint en vert tendre le mélèze immense et noueux.

Pourtant, il n'est pas vieux cet arbre. Ni du reste le bouleau majestueux qui semble être là depuis la nuit des temps. Il les regarde, attendri. C'est au moins une certitude: l'arbre qui pousse bien assure une forme d'éternité.

Il a planté ces arbres pour eux, pour marquer leur arrivée, inscrire à jamais au plus profond de la terre ses nouveaux liens.

Son fils et sa fille. Venus d'ailleurs, de l'Équateur, portés par leur destin, entrés dans ses jours comme miracles.

Dès les premiers mois de leur mariage, la volonté d'avoir des enfants est présente. Le moindre symptôme de grossesse prend des proportions de victoire. Mais c'est chaque fois un faux espoir. Au début, comme il est naturel dans ces cas-là, les médecins leur font subir tous les tests, on leur conseille la patience et l'espoir. Les mois passent et cet espoir s'amenuise.

Après d'autres examens médicaux plus poussés, le diagnostic est tombé. Ils ne pourront pas avoir d'enfants. «C'est le choix de la nature», se disent-ils, philosophes et fatalistes.

Pour sa part, du plus loin qu'il se souvienne, il n'a jamais éprouvé, comme c'est le cas généralement, l'envie irrésistible de se reproduire. Mais l'enfant c'est la pérennité. Il semble, s'il vous tend les bras, que la vie prenne tout son sens. Pierre en est conscient. De plus, Murielle éprouve le besoin de remplir une mission maternelle. Durant l'année qui vient de s'écouler, elle a perdu l'un après l'autre ses deux parents. Période intense de chagrins où son mari a été très présent, sans calculer ni le temps ni l'énergie de les visiter à l'hôpital. Toute cette chaleur dont il l'a enveloppée durant ces mois difficiles, elle ne l'oubliera jamais.

Il portait une affection particulière à son beau-père, avec qui il avait partagé des travaux d'hommes, une espèce de complicité affectueuse qui les faisait s'animer, discuter. Sa belle-mère était aveugle: avec quelle sollicitude il a pris soin d'elle! Pourtant, il avoue:

— Je n'ai pas la fibre familiale très développée.

Cette confidence signifie que si le cocon l'étouffe il le fuit. On ne peut pas l'obliger à tout partager. Mais jamais on ne le prendra en défaut d'indifférence. Dans un grand élan filial, il a tout fait pour se réconcilier avec son propre père, se rapprocher de lui.

Son regard suit le fleuve qui charrie encore des glaces fumantes. Le quai à quelques mètres est presque submergé. Quelle saison que ce printemps débordant et voluptueux! Il se laisse prendre par cette douceur. Il sent dans ses fibres la sève nouvelle qui monte.

La sonate remue en lui des souvenirs attendris. Devant la maison, la route est déserte, il est encore tôt, le temps est doux, tout dort encore au-dedans, c'est bon de rêver.

La musique, s'il prend le temps de s'arrêter, de l'écouter, lui fait souvent cet effet. Quand il va visiter son amie Lise Cormier, elle lui joue parfois un air de sa composition. Silencieux, sous le charme, il s'installe devant la grande fenêtre, immobile, les mains dans les poches; il suit les nuages, balaie du regard le champ devant lui, blond au printemps, blanc en hiver. La musique l'inspire; elle est pour lui l'art par excellence.

«Par quel mystère vient-elle rejoindre notre âme et en remuer les fibres secrètes?» se demande-t-il. Le musicien de même que l'écrivain ont la qualité de pouvoir constamment améliorer leur art. Il les envie.

Aller plus loin est un besoin tellement fort chez lui que toutes les portes ouvertes par les autres, tous leurs talents, l'inspirent.

Enrique et Ana-Lucia

C'est une époque de la vie de Pierre Bourque des plus mouvementées. Il nourrit une passion dévorante pour toutes sortes d'activités, de projets. À l'intérieur et à l'extérieur de sa vie de couple.

Ce qu'il partage avec Murielle, c'est une espèce de repli: les mêmes amis, l'habitude des visites chez l'un ou chez l'autre. Il se sent enraciné dans une routine qu'il n'aurait aucune raison de changer puisqu'elle donne l'illusion du bonheur. Il consent même à jouer aux cartes, lui qui a horreur de ça: le canasta, le 9 en équipe, le 500 et même le bridge. Il triche un peu, si on le surprend il rougit. Bon perdant? Oui. Il ne peut que perdre patience.

Voilà un peu plus de cinq ans qu'il tente de s'installer dans le jeu de l'habitude.

Un petit voyage pourrait peut-être secouer la cage? Parfois, au loin, les événements prennent une autre dimension. Ou tout au moins on y voit plus clair. Le jeune couple opte donc, hiver 1973, pour une destination mexicaine, une échappée dans la trame de leurs jours qui ne pourra que mettre un peu de piquant et d'aventure au menu.

Puerto Vallarta. La matinée s'annonce longue s'ils doivent suivre le programme du couple d'amis avec qui ils sont partis. Eux, ils rêvent de plage et de sable chaud. Ce n'est pas le genre de Pierre Bourque; il faut qu'il bouge, qu'il parte à la découverte du pays. Quel est le paysage? La végétation? L'organisation sociale?

Murielle et lui décident de partir en expédition, de prendre un autobus qui va les mener, une dizaine d'heures plus loin, à Guadalajara.

On imagine facilement l'autobus brinquebalant sur une route cahoteuse, le soleil chauffant sa carcasse, et les gens s'y entassant. À chacun des arrêts, le chauffeur fait entrer des familles entières, bariolées, marmaille et victuailles confondues, dans un grand branle-bas de verbiage et d'agitation. Les Bourque, premiers au départ, ont heureusement un siège.

Il n'y a plus de places. Tout ce monde se tasse les uns contre les autres, se heurtant chaque fois que le véhicule fait une embardée sur une route déjà difficile. Les enfants pleurent, les mères les mouchent, les pères tonnent.

Pierre se lève et offre de faire asseoir à sa place l'un des membres de la famille qui vient d'entrer: un père, une mère et cinq enfants de tous âges. L'homme ventripotent refuse avec force gestes de protestation. L'étranger est généreux, mais l'étranger est roi.

Pierre Bourque ne peut pas rester là, impassible, avec, plongés dans les siens, les yeux noirs et brillants de la petite Mexicaine debout devant lui. Un regard où se mêlent à la fois le rire et la curiosité. Elle a cinq ans. Il la prend sur ses genoux. Élisabeth fait tout le voyage juchée sur les genoux du gentil géant.

Lorsqu'ils arrivent à Guadalajara, l'exubérant Mexicain, qui est chauffeur de taxi, reconnaissant les invite chez lui à manger une croûte, à prendre un verre de téquila. Une invitation qu'ils ne peuvent refuser, sous peine de froisser leur sens de l'hospitalité et de l'honneur.

Au bout d'une heure, l'offre tombe comme un couperet:

— Je te donne ma fille. Prends-la.

— Mais non. Regarde ta femme, elle va avoir de la peine. Tu ne peux pas faire ça!

— Je ne pourrai jamais la faire éduquer, moi. Je ne pourrai jamais lui donner ce qu'elle pourrait avoir avec toi. J'ai trop de bouches à nourrir!

L'émotion est à son comble, Pierre Bourque croit rêver.

— Écoute, je retourne dans mon pays. Je vais y réfléchir et je vais t'écrire.

Quelques semaines plus tard, il lui écrit:

«Je ne peux pas accepter ton offre. La petite Élisabeth est une enfant adorable, mais peu importe la pauvreté ou la richesse de ses parents, ce n'est pas un critère ni une garantie de bonheur.»

Mais la graine est semée. Murielle et Pierre ont gardé une conscience aiguë de la réalité du tiers monde, de la misère des petits, et l'idée de l'adoption s'insinue.

Ils établissent le contact avec Family for Children, organisme qui aide les couples à adopter un enfant. C'est ainsi qu'ils sont mis en relation avec Alfredo Alvear, avocat équatorien installé dans la capitale Quito et responsable de l'adoption à l'étranger d'enfants de son pays. Ils s'écrivent, les Bourque souhaitent adopter un enfant d'un an environ.

Le processus est long, fastidieux. Il faut s'armer de patience. Entre-temps, ils suivent des cours d'espagnol. Dans leur esprit, l'enfant qui va venir porte un nom qu'il doit garder, parle une langue avec laquelle on veut le bercer.

Quelques mois plus tard, au beau milieu de la nuit:

— C'est le téléphone, Pierre.
— Allô... allô!

Cela vient de loin, le grésillement en fait foi. Au bout du fil, quelque part de l'Équateur, une voix surgit en espagnol:

— *Tenemos un nino para ustedes!* Nous avons un enfant pour vous. Le voulez-vous?

Mercedes Elvear, la femme de l'avocat, ajoute que selon leurs besoins, leurs goûts, leurs photos, à la suite d'une visite à l'orphelinat de Quito, elle a trouvé un enfant de cinq ans et demi: Enrique.

Elle répète sa question:

— Le voulez-vous?

Sans savoir véritablement, à des kilomètres de distance, sur le seul témoignage d'une étrangère au téléphone, il doit répondre du destin d'un enfant. En une fraction de seconde. Bouleversé, finalement, il répond:

— Oui, nous le prenons.

Ils devenaient ainsi le premier couple québécois francophone à adopter un Équatorien.

Enrique arrive au pays en mars 1975. Ses parents roulent jusqu'à l'aéroport de Dorval dans un état second. On leur a dit de prendre quelques vêtements. Ils ont apporté aussi un ourson de peluche. Avant de quitter la maison du bord du fleuve, ils ont jeté un dernier coup d'œil sur la chambre qu'ils ont préparée un peu à la hâte. Ce n'est pas une chambre de bébé. C'est déjà un refuge de petit garçon.

— Il ne faut pas être en retard.
— Ne t'inquiète pas, l'avion n'arrive que dans deux heures.

Ils arpentent la salle des pas perdus de l'aéroport, plutôt animée à cette heure du jour. Cent fois ils ont regardé le tableau d'affichage des arrivées des vols. Cent fois ils ont questionné la préposée d'Air Canada.

— L'avion sera-t-il à l'heure?
— Ne vous en faites pas, madame, il n'y a pas de retard.

Ils sont émus, nerveux. L'espèce de trac des amoureux qui doivent se retrouver après une longue séparation. La hâte et l'inquiétude. Comment sera-t-il? De quoi a-t-il l'air? Et bien qu'ils sachent qu'une hôtesse de l'air a eu le mandat de s'occuper de l'enfant tout le long du voyage ils s'interrogent: comment se passe l'envolée?

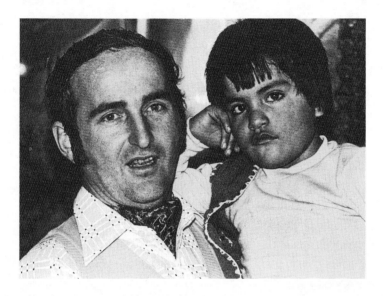

Ils l'aperçoivent de loin. L'hôtesse de l'air Roberte Leblanc tient par la main un garçon basané, un peu hirsute, au gilet bleu.

— Voici ton père, dit-elle en se penchant vers l'enfant.

Enrique, spontanément, s'accroche aux bras de l'homme devant lui.

— Papa!
— Voici ta mère.
— *Buenos dias, Signora.*

Né le 20 mai 1969, le petit garçon a grandi avec des femmes, des religieuses. Il ne sait pas dire: «maman». *Papa* est le mot le plus doux dans sa bouche. Celui du rêve d'un orphelin qui n'a jamais connu d'homme.

Les premières heures avec lui sont étranges. D'abord, dans l'auto, il n'a jamais voulu se séparer de Pierre. À la maison, toute la famille attend: les oncles et tantes, les grands-parents, quelques amis. C'est une fête, un événement.

Le voyage a été long, l'enfant subit le décalage horaire, les émotions ont épuisé tout le monde. Au moment de le mettre au lit, Enrique ne veut pas enlever ses souliers ni son pantalon. Il se défend farouchement. Les nouveaux parents sont décontenancés, mais ils sont davantage inquiets de lui découvrir un ventre rond, très rond. Ses jambes sont maigres. Sa tête couverte de plaies. Son petit corps ravagé porte des marques de mauvais traitements. Ils en sont bouleversés.

Ils doivent tout de même le laver, l'apprivoiser. Avec beaucoup de patience, ils y arrivent. Enrique, comme un petit animal instinctif, saisit que ces parents sont providentiels et se laisse faire.

Les premiers examens médicaux révèlent de multiples infections, la présence du ténia qui demande des traitements énergiques. Il fallait qu'il soit costaud, ce «petit Prince», comme se plaît à l'appeler Murielle.

Il n'aurait pas survécu, autrement.

Les premiers mois passent à le remettre sur pied. Le soigner, le nourrir, le rassurer. C'est un enfant attachant, communicatif, qui étonne son père par la profondeur précoce de ses propos. C'est un petit philosophe.

Les premières années sont difficiles. À sept ans, il entre à l'école primaire des religieuses à L'Assomption. Il n'a jamais tenu un crayon dans ses mains. Au début de l'année scolaire suivante, on se rend compte qu'il ne peut plus courir. L'examen médical révèle qu'il est victime d'une maladie rare qui atteint seulement les enfants mâles: la maladie de Leg Perthes. La tête du fémur s'use irrémédiablement et mène tout droit au handicap permanent.

Les médecins de l'hôpital Sainte-Justine que Pierre Bourque a consultés recommandent l'intervention chirurgicale. Mais une grève des employés retarde l'intervention. Entre-temps, les parents en profitent pour obtenir un deuxième avis, au Montreal Children's Hospital, où cette fois les médecins la déconseillent fortement:

— Vous risquez que votre enfant ait une jambe plus courte que l'autre.

— Oui, mais j'ai peur qu'en le laissant passer quatre années avec une prothèse, comme vous le suggérez, ses difficultés soient encore plus grandes.

Une fois de plus placé devant un choix qui va marquer ce frêle destin, le père choisit l'intervention. C'est un succès. Bien sûr, Enrique doit passer plusieurs mois immobilisé dans le plâtre; on imagine sans peine l'inquiétude et la fatigue que ces soins prolongés provoquent. De plus, le petit a pris un retard considérable à l'école qu'il faut rattraper avec beaucoup de travail et de discipline. Mais au moins le problème physique est réglé. Et ses jambes sont parfaitement normales aujourd'hui.

Un an après son arrivée, Enrique n'est plus l'enfant unique des Bourque et doit partager leur affection. Même s'il a souhaité une petite sœur, il en ressent un peu de jalousie.

Née le 16 avril 1975, la petite sœur de trois mois à peine, venue comme lui de l'Équateur, provoque une grande effervescence au sein de la maisonnée.

Elle a une drôle d'allure, cette espèce de petite poupée sombre dont la tête est comme un ballon de football. Ana-Lucia, que l'on surnomme Anita, serait morte elle aussi sans les soins qu'a nécessités sa fragile existence. Abandonnée sur le pas de la porte de l'orphelinat dans un état lamentable, on a jugé là-bas qu'il valait mieux qu'elle vienne le plus rapidement possible au Canada. Murielle a fait le voyage jusqu'à Quito.

Murielle a les mains pleines. Elle vient d'hériter d'un travail à plein temps pour lequel, comme toutes les jeunes mères, elle n'a pas eu de préparation.

Vagissements du bébé qui sollicite beaucoup d'attentions, soins à Enrique, la maison de Saint-Sulpice est une ruche. Elle est ouverte aux voisins, aux amis, à la famille. Mais elle est aussi une sorte de quartier général où les membres du Parti québécois, activistes de la sauvegarde de Saint-Sulpice, se croisent, se rencontrent. Un point de chute pour dire un mot à Pierre Bourque, le consulter.

Leur table est généreuse, hospitalière. Mais cette agitation, doublée de ce qui échappe à son attention, la sensation qu'elle perd son mari dans un brouhaha continu, rend Murielle maussade. Elle finit par prendre ombrage de ces visiteurs envahissants. De toutes ces âmes amoureuses de Pierre.

La princesse

Lorsqu'il arrive du Jardin botanique, à Saint-Sulpice, vers l'heure du souper, il enfourche sa bicyclette, installe Anita dans son dos et part avec elle. Il l'a prise comme un voleur.

— Pierre, c'est l'heure du souper!
— On revient tout de suite.

Il pédale sur la route qui longe le fleuve et chaque feuille qui frémit, le moindre insecte qui siffle à leurs oreilles, la brise, d'où elle vient, où elle va, l'oiseau qui passe, la fleur sauvage, le nuage, tout est nommé. Tout. Il veut qu'elle connaisse tout.

Il veut l'éduquer.

Elle n'a pas deux ans. Menue, petite sauvageonne noiraude, elle crie si sa mère l'empêche d'aller avec son père. Elle sait très bien manipuler son petit monde d'adultes. La crise ou le charme, selon le cas.

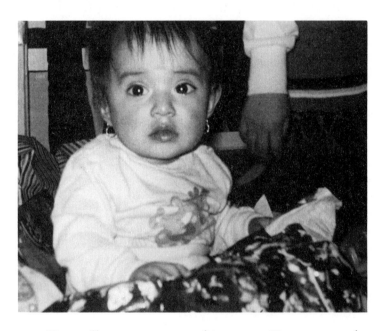

C'est tellement amusant d'être avec Pierre; on roule dans le vent. Et si on met pied à terre, c'est pour courir dans des sentiers fleuris, plonger ses pieds dans l'eau.

Il parle. Il chante aussi. Des chansons de Félix Leclerc, ou une mélopée pour rompre le silence. Sa fille est une princesse. Il lui donne tout ce qu'elle veut. En échange, elle est adorable. À trois ans à peine, elle énumère les capitales du monde! Son père la prend sur ses genoux lorsque des étrangers viennent à la maison et lui fait répéter son numéro.

Il met tous ses espoirs en elle. Tous les espoirs légitimes d'un père qui veut voir ses enfants réussir. Les ennuis de santé d'Enrique, ses retards scolaires ne lui ont pas permis de porter son ambition. Un garçon, c'est plus indépendant. La fille est délicate, petite de taille, on a envie de la protéger. Elle suscite l'admiration par cet aspect fragile.

Il les fait voyager très tôt. Il prend des vacances avec eux. Recherche surtout des coins de soleil où ils pourront jouer sur la plage, libres. Il les ramène un jour dans leur pays d'origine.

En juillet 1977, lors de son premier séjour en Équateur, il écrit, ému:

«Pour moi qui y suis allé chercher mes deux enfants, c'est un pays à découvrir. Depuis leur arrivée, tout ce qui touche de loin ou de près ce pays m'intéresse: l'histoire, la géologie, la flore, la faune, la vie politique et économique.»

Mais les enfants, arrivés très tôt au Québec, n'ont pas la fibre équatorienne. Ils ne parlent même plus l'espagnol. Au fur et à mesure qu'ils grandissent, les voyages deviennent plus difficiles. Le frère et la sœur, comme chien et chat, se disputent. La patience légendaire du père est mise à rude épreuve.

Un jour, raconte Enrique, alors qu'ils avaient été particulièrement odieux sur la banquette arrière de la voiture, leur père s'est garé au bord de la route, les a laissés et est allé marcher dans le champ, respirer un bon coup et reprendre ses esprits. Les enfants ont été tellement impressionnés qu'ils se sont calmés immédiatement.

Petits, il les surveille lui-même quand il va à la piscine municipale, même si c'est contre le règlement. Si on ne lui permet pas de rester, il ramène les enfants à la maison. Il fait prendre des cours de piano à Anita, même... s'il n'y a pas de piano à la maison pour pratiquer. On voit qu'il prend son rôle au sérieux, qu'il a la fibre paternelle, mais il perd parfois un certain sens du réel.

C'est Murielle qui les a nourris à la cuillère, comme des oiseaux malades, surtout Anita qui dépérissait si on n'avait pas cette patience infinie. C'est encore elle qui a la plupart du temps soigné les enfants, parce que leurs souffrances le rendaient malade! Mais dès qu'ils prenaient du mieux, il jouait avec eux. Et reprenait de même en leur compagnie ses longues promenades instructives.

8

CHAMPS DE BATAILLE

«Quand, arrêté au bord d'une route haute, vous contemplez la vue d'un paysage de chez nous, souvenez-vous que ces champs, côte à côte et bout à bout, dessinent, en tout, l'immense nécropole des paysans, nos aïeux, dieux païens qui, non seulement de leur travail, mais aussi de leurs tombes et de leurs corps accumulés, ont, peu à peu, sculpté, dessiné, modelé, peint le pays que vous habitez, d'où nous sortons tous, et qui vous contemplent autant que vous les regardez.»

Michel Serres

Le 753 chemin du Bord de l'eau à Saint-Sulpice est le quartier général d'une résistance farouche. À la fin de l'année 1975, les citoyens du village apprennent que des investisseurs français ont l'intention de bâtir un développement domiciliaire sur des terres traditionnellement cultivées.

On assiste à une levée de boucliers importante, à une prise de conscience de la vocation de la région. Deux clans s'affrontent au cours d'un hiver qui sera dur: le Comité de vigilance, qui obtient ses lettres patentes dès le mois de janvier 1977, veut contrecarrer la transformation de Saint-Sulpice en ville-dortoir. Des citoyens, commerçants ou anciens agriculteurs, se mobilisent derrière leur maire pour rentabiliser le sol de leur région, qu'ils jugent désormais malade.

Déchirements, rencontres houleuses, batailles de spécialistes. On ne compte pas les mensonges, les bassesses, les menaces. Les enjeux sont énormes et le sentiment d'urgence, d'un côté de la barricade comme de l'autre, échauffe les esprits.

Pierre Bourque a pris la tête du Comité de vigilance. Les terres convoitées sont situées pas très loin derrière chez lui. Le Parti québécois a été porté au pouvoir le 15 novembre. Il faut entretenir la flamme et gagner du temps car la Loi sur le zonage agricole devrait tout régler. Il faudra trois ans d'attente!

Le 6 janvier 1977, Pierre Bourque écrit au premier ministre René Lévesque:

«Le 15 novembre nous a prouvé qu'il était possible au Québec de réaliser ses rêves les plus beaux si on y mettait le temps et le travail. Ce rêve qui débouche sur la participation et la possession de notre pays a des échos étranges dans notre village de Saint-Sulpice que quelques gros propriétaires terriens ont décidé de vendre à l'encan comme dans la chanson de Félix pour en faire une ville-dortoir.»

Ce sont la crainte de l'élargissement de la banlieue, le souci de protéger la vocation agricole de la région, et aussi une réaction contre le caractère sauvage d'une initiative qui vise essentiellement le profit, peu importe les conséquences, qui font se battre Pierre Bourque.

Murielle s'en va

Dans cette demeure du bord du fleuve ressemblant à certains égards aux repaires des Patriotes, se mène une autre bataille, plus subtile, plus intime.

Nulle part celui qui vient d'être nommé horticulteur en chef de la Ville ne laisse paraître le désarroi qui l'habite. Il est très fort. Ses états d'âme ne font pas d'éclat public. Il est toujours de bonne humeur quoi qu'il arrive. Les réseaux qu'il entretient, qu'il s'agisse de ceux du Jardin, du comté ou du village, les projets déjà en marche le nourrissent et le portent. Il est en pleine possession de ses moyens, de sa jeunesse.

Mais quand les portes sont fermées à clé, que les enfants dorment, que l'homme et la femme, tous les deux sur des voies parallèles, se racontent leurs misères, rien ne va plus. Murielle en a assez. En réalité, son mari ne parle pas. C'est pire dans un sens. Il ne prête pas flanc à la dispute. Il encaisse sans broncher. Il dit sans menace:

— Quand la goutte d'eau va faire déborder le vase...

Murielle est plus vive, plus emportée, plus extravertie. Elle ne cache pas ses jalousies ni ses amertumes. Il lit, elle crie. C'est une huître quand il se ferme. Il lui fait penser au «bel indifférent». Elle ne sait plus comment l'atteindre et renonce.

Elle fuit. C'est ainsi qu'un beau jour Pierre Bourque se retrouve chef de famille monoparentale. Huit ans de vie commune, de partage. Dans le bilan, aucun d'eux ne fait de mesquineries.

Mais la vie privée pour un tel homme n'existe pas. Il est dans un univers public, il se donne aux autres. À tous les autres. La possession, l'exclusivité sont des valeurs qui lui sont contre nature. Pour l'aimer, réfléchit plus tard Murielle, il faut être multiple. Être à la fois libre pour ne pas l'entraver, et entrer dans une forme d'allégeance totale.

Il n'est pas désespéré. La situation, bien que déconcertante au début, finit par dévoiler ses charmes. Il est désormais libre. Il l'a toujours été. Mais cette fois, il n'a pas à subir un sentiment de culpabilité car Murielle trouve rapidement le bonheur et leur séparation se fait en douceur.

Une femme à tout faire, gouvernante, prend le contrôle de la domesticité. Anita est si petite qu'elle ne se rend compte de rien. En réalité, elle ne gardera aucun souvenir de ses parents ensemble.

Leur vie donc n'est pas trop bouleversée; ils vont à l'école, ils conservent leurs amis. La maison est là. Presque tout est comme avant.

9

DES PROJETS ET
DES FLEURS

«Oui, je suis le rêveur, je suis le camarade
des petites fleurs d'or du mur qui se dégrade,
et l'interlocuteur des arbres et du vent.»
VICTOR HUGO

À la fin des années soixante-dix, cette ère d'abondance, de projets, d'ouvertures, Pierre Bourque est animé d'une énergie formidable. Il vit seul avec ses enfants, dans sa maison de Saint-Sulpice; il a organisé sa vie quotidienne en fonction de cette réalité. Mais ses journées de travail sont très longues, il ne peut donner libre cours à toute son affection paternelle, qu'il sent pourtant en lui très forte.

Enrique et Anita grandissent, ils sont sa raison de vivre, sa seule vérité, des éléments irréductibles. Il laisse même en veilleuse sa vie sentimentale pour ne pas les décevoir.

Il souhaite qu'ils deviennent autonomes, qu'il puisse établir avec eux une relation d'égal à égal.

Il n'a pas tellement changé depuis ses 16 ans, sa philosophie est restée la même.

— Chacun prend sa route où il doit aller, dit-il pour s'expliquer.

Lucide, avec le recul il croit avoir perdu bien des heures d'échanges, d'amitié en choisissant de croire au rêve de sa jeunesse: faire des choses pour les humains. Mais il marche en avant. Dérouté des décalages avec ceux qu'il aime. Alors que lui est déjà ailleurs, les autres parfois n'ont pas bougé. Il n'est pas le genre à vouloir s'installer dans un confort bourgeois.

Il privilégie l'intensité des rapports avec les êtres mais en même temps il doit en assumer la fugacité. Cette souffrance, car elle existe, est sublimée.

Il s'interroge:

— Serai-je seul, un jour?

Il l'a toujours été, d'une certaine façon. Le réseau d'amis, de contacts, unanime loue sa franchise et sa sincérité. Il ne ferme jamais une porte. Il est d'une patience infinie. Mais il n'est pas toujours là, aussi entier, aussi souvent que les autres le voudraient. Entre les petits moments d'orgueil, les victoires et les gloires qu'il collectionne, se glissent néanmoins quelques incertitudes bien humaines.

Un certain mystère l'habite. En est-il conscient? Il refuse la laideur. Il refuse les obstacles. Seul compte l'objectif. Cette détermination se lit sur son visage rond et lisse, impassible, un peu Joconde, un peu Bouddha.

Il a la tête pleine d'une belle, d'une nécessaire folie. Le vent dans les voiles. Son intuition est en alerte, son désir conscient d'aller au-devant de ce que les gens aiment. Ceux qui l'observent alors découvrent en lui des forces rares, celles de pouvoir bâtir pour les autres. Une puissance redoutable au fond, une caractéristique qui n'est pas donnée à tout le monde.

Lise Cormier, son amie qui est directrice adjointe au module de l'aménagement des parcs et des jardins, invitée à parler de Pierre Bourque dit:

«Toujours à l'affût de nouvelles connaissances, de nouvelles plantes, de nouveaux défis, Pierre Bourque ne pourrait s'empêcher de voler et voguer de par le vaste monde et, par le fait même, de nous ouvrir de nouveaux horizons...»

Chez ce pédagogue, la préoccupation première est effectivement de transmettre les connaissances et l'information, pas un vain mot ni un vœu pieux. Il a envie de former, par le biais du Jardin et de ses équipements, un type nouveau d'horticulteurs.

Culture de la terre et culture humaine, une origine semblable; il faut labourer, il faut ensemencer, professe-t-il. Cohabiter avec la nature et aménager le paysage de manière intelligente de sorte que les gens y trouvent une forme de bonheur. L'importance de la vie et le respect de la vie. Telles sont les valeurs qu'il veut transmettre.

Et aussi donner à tous les citoyens de Montréal le goût d'embellir leur environnement.

C'est dans la grande maison, dans la famille, un mot qu'il emploie souvent, que s'incarne le Jardin au quotidien. C'est dans les menus détails que s'exerce sa façon de voir, au contact des autres. Sa pensée est bien enracinée. Elle s'ancre dans l'ordinaire pour mieux rayonner. Ses collaborateurs sont atteints par cette force. Il n'en attend pas moins d'eux, de toute façon.

Il y a certes eu de mauvaises décisions, à propos du choix de certains collaborateurs, des aspects plus difficiles. Il n'y échappe pas. À quoi bon prétendre qu'il est parfait? On le surprend vulnérable parfois, sa sensibilité écorchée vive. Il veut la paix dans sa grande famille élargie. Mais à quel prix?

C'est généralement au cours de ses promenades méditatives au Jardin que germent les meilleures idées. Rassuré par l'ordre des choses, comblé par cette nature généreuse dès l'arrivée des premiers trilles, il éprouve une reconnaissance presque mystique.

Et ainsi nourri, ragaillardi, il se lance dans d'autres aventures.

— Avec toi, la nature nous parle. On voit d'autres choses en visitant le Jardin avec toi, des détails, la face cachée de la nature, lui dit une amie.

Même durant les vacances, qu'il soit à Baie-Saint-Paul ou à Shanghai, il ne s'arrête pas de chercher ce qui pourrait enrichir la ville ou le Jardin; un événement, une fête, une exposition...

Sur le plan physique, il est robuste, endurant, jamais malade. Pas la moindre grippe.

— Il ressemble à une plante. Il fait fougère. Il va bien avec son environnement, dit pour le taquiner son amie, l'animatrice Marguerite Blais.

Bourreau de travail, constamment sur la brèche, il a été longtemps tendu intérieurement. Insomniaque même. Des nuits écourtées, agitées par la trop grande affluence de pensées. Il ne savait comment contrôler le stress.

Les responsabilités ont pesé lourd. À 25 ans, à la tête d'une armée de 700 paires de bras à diriger, sur le site de Terre des Hommes, le jour, dans le feu de l'action, il savait y faire. Mais la nuit parfois, sournoisement, lui en faisait payer le prix.

Avec le temps et la maturité, l'expérience, la confiance en lui-même développée par quelques flamboyantes réussites, s'est installée une force sereine.

Vieillir, en 1978 il a 36 ans, est en quelque sorte un cadeau pour lui. Il a appris à se ménager. À ne pas abuser de ses forces. Il connaît ses limites. Il développe dès lors une forme d'ascétisme, une vie quasi monastique qui le sert bien; nourriture frugale, coucher tôt, des comportements d'homme seul qui veut réussir, comme certains artistes qui font abstraction de toutes les contraintes domestiques pour se consacrer uniquement à leur art.

C'est un homme du printemps on le sait, l'hiver est rude, incompréhensible et trop long. Le grand jardinier comprend la dormance, mais dès que novembre s'installe il rêve à des cieux plus cléments.

S'il avait le choix aujourd'hui encore, malgré qu'il aime ce pays, il ferait sauter l'hiver et le froid rébarbatifs. Ne garderait que la neige pour aller au fond des bois en raquettes ou à skis. Le silence y est plus profond l'hiver.

PHOTO: PIERRE PERRAULT

Directeur du Jardin botanique

En 1980, Pierre Bourque porte désormais le titre de directeur du Jardin botanique de Montréal. Il est à la tête d'une véritable campagne à la ville de près de 73 hectares de verdure. Le Jardin est considéré comme l'un des plus beaux au monde.

Cela va bien au-delà des rêves du frère Marie-Victorin! Comment imaginer que dans ce pays de froidure où rien ne pousse pendant la moitié de l'année on ait pu atteindre cette dimension?

Le Jardin vit et respire comme un vaste poumon et étend ses ramifications dans tous les quartiers. Plantation d'arbres et de fleurs, aménagement des ruelles, bref, une action qui va plus loin que la botanique.

Les Montréalais aiment leur Jardin, ils en témoignent par leurs visites fidèles, assidues; cette affection est révélée dans tous les sondages.

Au tout début de l'existence du Jardin, dès 1931, les Cercles des jeunes naturalistes y trouvèrent spontanément un accueil favorable. La Commission des écoles catholiques de Montréal a de plus signé une entente et établi avec l'institution la mise en place des jardins d'écoliers. La vocation éducative est profondément ancrée dans l'âme même du Jardin, sous l'impulsion du frère Marie-Victorin. On voit souvent, sur les photos d'archives, le frère en compagnie d'enfants concentrés sur leur jardinage.

— Quand les enfants auront planté une fleur, ils seront plus sensibles à celles d'à côté, se plaît à dire Pierre Bourque dans la continuité de la pensée du frère.

Avant même que le Jardin voie le jour, dès 1920, le célèbre frère a fondé une chaire de botanique à l'Université de Montréal devenue plus tard l'Institut botanique de Montréal. Il a créé en 1942, année de la naissance de Pierre Bourque, la Société de biologie de Montréal.

La vocation scientifique du lieu s'est maintenue avec Pierre Bourque. C'est l'un des pivots de sa pensée. Il n'a jamais douté une seconde de la pertinence de maintenir un haut niveau d'excellence scientifique. Il n'a de cesse d'encourager la recherche. De permettre les expériences. Lui-même profite de la science des autres, curieux et enthousiaste, car il y a longtemps que ses intérêts ont dépassé la simple horticulture.

L'étroite collaboration avec l'Université, une démarche naturelle pour le Jardin, a très bien fonctionné jusque vers le début des années soixante, où ont commencé, semble-t-il, certains problèmes de régie interne, de luttes de pouvoir, de tracasseries administratives. Un conservateur du Jardin a finalement été nommé, en 1975; il est attaché depuis aux deux institutions. Son intention et son mandat sont de les servir toutes les deux, à part égale.

En 1975, l'association Les amis du Jardin est fondée. Pierre Bourque en devient le premier président. Pourquoi toujours cette présence active, intense? Par nécessité de donner l'exemple. Pour s'assurer d'une orientation philosophique conforme à sa vision.

Les initiatives de sensibilisation, petit à petit, dans cet humus, ne peuvent que changer le monde. Il y croit sincèrement.

— Les petits gestes peuvent changer les comportements d'une population, dit-il aux membres.

Il est présent partout, il sait tout, il voit tout; il arrive tôt au Jardin, il en repart tard le soir, il est là le samedi. Il gère et il observe. Mais qu'observe-t-il? La réaction des visiteurs. L'attitude des employés. La propreté. Les détails techniques déficients qui pourraient nuire au bon fonctionnement. Il exerce un contrôle, mais s'organise pour motiver, corriger sans heurter les susceptibilités autant que faire se peut. Les directives ne sont pas initiées derrière un pupitre, elles ne viennent pas «d'en haut»! Cette façon de faire agit directement sur la motivation des employés.

Tout est axé sur le développement; c'est déjà une manière particulière de gérer qui mobilise. Il sait trouver les bons leviers pour faire avancer les choses. Favoriser la créativité, encourager les initiatives.

L'idée d'une école d'horticulture, par exemple, a germé durant quelques années pour enfin être réalisée en 1979. En collaboration avec la Commission des écoles catholiques de Montréal et la Ville de Montréal, l'école d'horticulture est affiliée à l'école secondaire Louis-Riel. Elle dispense deux années de cours qui conduisent à un diplôme en horticulture. Il a fallu des heures de réflexion, de travail, de concertation pour ce projet; il a fallu se battre et convaincre.

Les Floralies internationales

Comme si tout cela n'était pas assez! Il faut aussi déborder le cadre de la pédagogie et de la science pour aller vers la beauté. Celle qui donne des ailes.

Celle qui élève au-dessus des vicissitudes de l'existence. Celle qui console. Celle qui réjouit.

C'est le début des meilleures «années Bourque». Il est productif, imaginatif. Cinq années, de 1980 à 1985, on le laisse en paix à l'administration municipale. Il peut travailler de façon sereine, dans l'harmonie. Jean Drapeau a compris que dans ce grand Jardin du cœur de sa ville germent souvent des projets spectaculaires qui rejaillissent sur son administration.

Après Terre des Hommes, en 1967, après les Jeux olympiques en 1976, la Ville, un peu éreintée, se cherche un troisième souffle. Il va venir sous la forme d'une vaste exposition internationale de fleurs: les Floralies.

Déjà en 1974, l'idée des Floralies avait été évoquée au gouvernement provincial, mais sans qu'il y ait de suite. Après l'arrivée au pouvoir du Parti québécois en

1976, Jean Garon, alors ministre de l'Agriculture, est revenu avec cette idée et a écrit au maire Drapeau pour la lui soumettre.

Quelques rencontres entre le ministre et Pierre Bourque concrétisent le projet et lui donnent même un lieu: le parc Maisonneuve et le Vélodrome. Le site est logique, situé près du Jardin, favorisant ainsi l'est de la ville. Jean Garon est ravi de cet emplacement.

Le maire, lui, n'est pas d'accord.

— Monsieur Bourque, essayez donc de convaincre M. Garon de faire ça à l'île Notre-Dame.

On sait que l'île n'a plus de vocation précise depuis 1972.

Le ministre de l'Agriculture n'est pas un personnage emberlificoté.

— C'est pas vous qui menez ici? demande maussade le ministre à son interlocuteur.
— Je ne suis pas le maire. Le maire est à l'hôtel de ville!

Le directeur du Jardin botanique se rend bien compte des difficultés de communication entre Québec et Montréal après la délicate et coûteuse affaire des Jeux olympiques, qui a dégénéré en véritable syndrome post-olympique! Il y a de l'inquiétude dans l'air, pour ne pas dire de la suspicion.

Pierre Bourque s'exécute tout de même, loyal d'abord envers son patron, et fait visiter l'île au ministre. Malgré les pavillons démolis, l'abandon des lieux, il met tout en œuvre pour en révéler, aux yeux du ministre, les beautés potentielles.

— On peut en faire un parc fantastique!

Finalement, tout le monde signe une entente sur ce lieu. Le maire, reconnaissant, dit à Pierre Bourque:

— Si vous me donnez les Floralies, je vous donne votre école.

Il s'agissait du projet d'école d'horticulture, qui a fini par voir le jour un an plus tard, le maire ayant sans doute voulu conserver plus longtemps son arme de marchandage.

On est quand même passé à deux doigts de l'avortement. Un matin, alors que tout est prêt pour annoncer aux journalistes invités à une conférence de presse la mise en place du projet, M. Drapeau téléphone à Pierre Bourque:

— L'administration a changé d'idée, il n'y a plus d'école.

Déception, honte, bien des sentiments animent le fonctionnaire à la merci d'une instance supérieure qui chamboule tout. Ce fut l'un des moments les plus difficiles de sa carrière. Mais Pierre Bourque aura d'autres occasions malheureusement de vérifier qu'on met souvent la politique au-dessus de l'humanisme.

L'île Notre-Dame va renaître. Pierre Bourque obtient tout de même que le Vélodrome serve pour les floraisons intérieures du printemps, au mois de mai. Le printemps 1980 n'a pas été clément, cette immense serre pour les Floralies intérieures a été un énorme succès. Les organisateurs ont été forcés de prolonger les heures d'ouverture jusqu'à 11 heures le soir pour permettre aux gens d'entrer. Plus de 30 000 personnes s'y pressaient chaque jour, et ce, durant 10 jours.

Pierre Bourque est directeur technique responsable de la coordination et de la réalisation de cet événement international. C'est à ce titre qu'il part, pour des expéditions exploratoires, par le vaste monde solliciter la participation de nombreux pays, particulièrement d'Amérique du Sud et d'Europe. Grâce à ses nombreux contacts établis depuis des années par le biais du Jar-

din, il obtient des promesses de participation enthousiastes. Il élabore un plan d'action, d'organisation,
met sur pied des comités.

Il travaille 20 heures par jour, tient des réunions
sans arrêt. C'est un don total. Il croit en l'événement,
il a soutenu son ébauche, sa naissance, il va l'assumer
jusqu'au bout.

Il s'en occupe si bien qu'à la fin il reste seul pour
voir à tout car les autres intervenants l'abandonnent
pour ainsi dire, qu'il s'agisse de la Ville ou du Gouvernement. Il doit s'occuper de la cuisine des concours,
des compétitions, de la formation des jurys…

L'événement est en place, c'est un succès, Pierre
Bourque a fait le travail, tout le travail, mais au moins
cette fois-ci il en récolte les fruits.

10

LES LONGS JOURS
DU JARDIN

> «Exceller sans faire sentir son excellence,
> voilà la conduite qui fait aimer partout.»
> TCHOANG-TZEU

Il va quitter éventuellement Saint-Sulpice, vendre sa maison, retrouver au cœur de Rosemont, près du Jardin, ses racines profondes.

Ce retour, qui met tout de même derrière lui des années de bonheur, n'est pas dépourvu de charme.

Cela fait partie de lui, transcender ce qui semble difficile, se créer de nouvelles joies.

Dès la fin du printemps, dès qu'il voit poindre l'aube, il enfourche sa bicyclette rouge sombre, un vélo ordinaire, sans prétention.

Il va renifler l'air du Jardin, réchauffer ses muscles au parc Maisonneuve, saluer au passage tous ceux qu'il connaît. Ce rite sportif et social le fait entreprendre la journée en lion.

De retour chez lui, il prend une douche, se change, avale rapidement son petit déjeuner et se pointe à ses bureaux du Jardin vers huit heures. Il gare sa fidèle Honda dans le stationnement public. Il n'est pas amateur de voitures spectaculaires; comme pour le reste, il veut de la performance!

— Je lui demande de rouler, c'est tout.

Il a troqué le vieux costume de molleton pour un costume bleu sombre passe-partout, une chemise blanche à manches courtes, toujours des manches courtes, une cravate aux motifs abstraits. Sa tenue quotidienne est toujours la même à peu de choses près.

Il est fin prêt pour une journée nouvelle. Le pas rapide dans le corridor, la voix qui de loin dit bonjour.

Francine Lambert, la fidèle secrétaire, comprend que son patron arrive. Dès qu'elle l'aperçoit dans l'embrasure de la porte, elle sait tout de suite s'il est de bonne humeur. Elle a développé un sixième sens, même si cet homme maîtrise parfaitement ses remous intérieurs et est reconnu pour son absence quasi totale de colère.

Tout va bien, il est animé, il rit, sa promenade en vélo l'a ravi. Elle lui rappelle qu'il a rendez-vous pour le lunch, qu'un groupe de visiteurs à qui il a promis de servir de guide sera là à 11 heures.

Le bureau est grand, plutôt terne malgré la présence de plantes vertes luxuriantes. Il sent à la fois le bois et la poussière. De larges fenêtres ouvrent sur un espace qui s'anime peu à peu.

Au pied du mât du Stade olympique, faisant visiter le Jardin au duc et à la duchesse d'York.

Même s'il tourne le dos à la fenêtre, le directeur sait, à la qualité de la lumière qui éclaire ses papiers, exactement l'heure qu'il est, le temps qu'il fait.

Après les premiers coups de téléphone, l'examen sommaire du courrier, il y reviendra après la réunion, il reçoit ses collaborateurs, fait le point sur les projets en cours.

Un stylo à la main, il ponctue ses phrases de petits mots écrits, de griffonnages; il faut suivre le monologue de sa bouche à sa main, comme un professeur il a toujours besoin du support écrit.

De l'autre main, il joue avec un large élastique brun qu'il enroule autour d'un doigt, du poignet; il l'étire, le triture, l'écrase entre ses doigts.

Il pivote sur sa chaise, ouvre un tiroir, appelle sa secrétaire pour la recherche d'un dossier. Le jour est ordinaire.

Mais pas l'homme.

— Parler de Bourque, c'est parler du monde, dit l'une de ses collaboratrices.

Il ne faut donc pas se fier aux apparences du fonctionnaire tranquille installé à son bureau, impassible, réagissant assez peu aux propos que l'on tient devant lui, opinant de la tête, prenant la parole lui-même sur un ton monocorde.

Ce Pierre Bourque-là est sans doute l'un des trois ou quatre personnages qui le constituent. Il croule littéralement sous les fleurs. Ses réalisations sont spectaculaires et aimées. Il a des appuis dans tous les milieux. Certains jours, il a parfois le poids du monde sur ses épaules, une façon de commencer la phrase par: «Moi, je...»

Il arrive que, lorsque le patron claironne ainsi les moments forts de son parcours, lorsque sur un ton prétentieux il entreprend le bilan des étoiles qu'on lui décerne ou des compliments qu'il a entendus, parfois l'un ou l'autre de ses collaborateurs prenne le parti de se taire. Un mutisme éloquent qui touche aussi vif qu'un fleuret.

Cela fait partie de leurs rites. On conçoit qu'il peaufine son image. Chacune des années passées au Jardin ne l'a pas mis à l'abri des méchancetés ni des bassesses. Il n'a pas cherché non plus le confort moral. Les projets, les batailles l'ont jeté dans l'arène. Dans les temps durs, l'équipe a serré les dents, les rangs. Sa vulnérabilité les a émus. On le sait seul. On lui rend bien ce qu'il donne: lui-même tolère les défauts des autres. Avec ce grand respect qu'il a de la liberté, réservé, il ne cherche pas à en imposer.

Il n'encourage pas la critique négative, la critique simpliste et commère de l'autorité. Encore moins la compétition. On le juge équilibré. Des fois, il va simplifier un problème à outrance, sans prendre en considération tout le reste. Il suffit qu'on lui parle.

Il est perméable.

Prudent comme un chat de ruelle, il n'agira pas précipitamment. Si un membre de son équipe ou une situation sont tendus, il réagit à contre-courant de cette tension, de cette colère latente.

Il apaise. Désamorce. Dans un réflexe paternaliste.

— Je n'aborde pas les sujets qui séparent les gens, confie-t-il.

Il ne cherche pas à les antagoniser. Au contraire, ce rassembleur ne veut rien de moins que des consensus. Pour y parvenir, certains de ses collaborateurs reconnaissent qu'il a un don.

Un jour, trois hommes qui ne peuvent pas se sentir et doivent pourtant se parler ont rendez-vous au Jardin. L'atmosphère est à trancher au couteau. Le fonctionnaire municipal regarde le mur. Le fonctionnaire provincial lève les yeux au plafond. Le fonctionnaire fédéral joue au bel indifférent et s'évade en pensée, par la fenêtre. Pierre Bourque est au milieu d'eux, en face de trois hommes qui se détestent.

Dans les coulisses, les témoins s'attendent à des cris ou peut-être à ce que l'un d'eux quitte en claquant la porte. Au bout d'une demi-heure, les trois hommes sont sortis joyeux et se sont serré la main. Peut-on imaginer quels propos pacificateurs et rassembleurs

Pierre Bourque a pu leur tenir? Une seule idée l'animait: celle de voir aboutir son projet coûte que coûte.

La scène est restée gravée dans la mémoire des témoins.

— Quelqu'un qui travaille pour moi entre en communauté, a-t-il l'habitude de dire, mi-sérieux, mi-badin.

Une équipe de tâcherons, de fidèles. C'est sa vision de la loyauté. Sans faille. Il tire un plaisir énorme dans la réalisation de son travail, dans la mise en chantier d'une idée. Mais si on ne le suit pas au cours de l'élaboration d'un projet, il ne se bat pas inutilement. Il maîtrise depuis longtemps l'art de retraiter en beauté. Que lui sert d'agir, de mettre toute son énergie en action, si l'œuvre ne répond pas aux besoins des autres? Faire preuve d'un entêtement stérile serait faire fausse route. Une autre de ses forces qui nous fait entrer dans un de ses personnages.

Certes, l'ego est fort. Il a confiance en lui-même. Mais il connaît ses limites. Il doit être sûr qu'on a besoin de lui pour agir. Pour être efficace.

Il a le défaut de sa qualité: à force d'aimer les gens, il n'est pas assez circonspect. Son jugement trop enthousiaste et sommaire l'égare quelquefois.

— Une telle! L'avez-vous rencontrée! Quel être extraordinaire!

Cet enthousiasme du patron a rendu prudents certains collaborateurs.

— On verra, laissons-la faire ses preuves, a-t-on pris le parti de lui répondre.

Et du reste, lui-même il voit vite bien. Alors, l'ardeur tiédit. Pour celui ou celle qui a été élu, choisi, la chute du piédestal fait mal quelquefois.

Il ne s'en rend pas compte, lui. Il est déjà à cent lieues. Parti à la découverte d'autres enthousiasmes.

On ne peut pas, en voyant agir ce fonctionnaire étonnant, croire un instant qu'il n'assume pas une vocation qui va au-delà de ce qui est fixé par l'éthique. Il sert ses patrons élus, en même temps il sert le public, ses concitoyens. Il est tout le contraire d'un rond-de-cuir. Il est profondément allergique à la bureaucratie, à la lourdeur des structures, surtout celles qui sont coulées dans le béton et remplacent la créativité.

C'est sa nature profonde. Il ne peut pas assumer une tâche sans lui donner de la dimension. C'est assez rare d'observer ce phénomène chez un fonctionnaire. Il ne réagit pas négativement aux changements, au contraire.

Par exemple, au Jardin, tous les projets nouveaux doivent avoir une valeur éducative. L'animation, la diffusion des savoirs sont des qualités inscrites en lui; il n'existe pas de manuel, ni livre blanc ni cahier des normes, dictant cette voie.

C'est en lui. Déconcertant. Les employeurs peuvent penser qu'il est entêté, rebelle. Qu'il joue à la vedette. Qu'il a trop de pouvoir. C'est un jugement superficiel qui ne tient pas compte du cheminement professionnel et technique, de la profondeur de sa vision, de sa détermination.

Il développe toutes ses capacités, y compris l'administration, dans le seul but de servir. Il gère comme il aimerait être géré.

En 1988, il a présenté à l'administration de la Ville un document intitulé: *Le Jardin botanique de Montréal en 1992... et vers l'an 2000.*

Ce document imposant qui faisait le point sur la situation du Jardin, de son rayonnement, non seulement pour Montréal mais pour le Québec et aussi dans le monde, était sa vision d'avenir. Il présentait un plan de développement visant à faire du Jardin peut-être le premier en importance au monde.

Annoté, étudié, analysé. Les membres du Comité exécutif ont peut-être trouvé le document admirable, mais ne l'ont jamais approuvé officiellement.

Ce fut une amère déception, et une autre écorchure à l'âme de celui qui veut toujours faire partager les rêves réalisables.

Dans l'adversité, pour atteindre ses objectifs, il n'hésite pas à faire le dos rond, à prendre l'attitude du chat fourré retors et stratégique. Il se tait, il attend. Servir les élus et servir ses concitoyens peuvent parfois lui paraître contradictoires, difficiles à réconcilier.

Prêt à bien des sacrifices, il ne fait pas autre chose, depuis son adolescence, que d'être fidèle à ses croyances profondes.

Ses réalisations prennent ainsi toute leur signification. Elles sont reçues avec gratitude dans le public parce que les gens savent que c'est là pour eux. Elles sont reçues avec méfiance par l'appareil municipal parce qu'il est exceptionnel qu'un fonctionnaire subalterne récolte sur-le champ le mérite de ses actions. On attribue à l'homme tout le mérite de l'œuvre. Il est clair qu'il ne fonctionne pas comme tout le monde.

Pour que l'espoir reverdisse

Dès sa nomination, en 1975, comme horticulteur en chef de la Ville, il sait où est sa mission. Travailler pour les citoyens, qu'ils soient concernés. Faire vivre une nature qui va les réconcilier avec la ville.

À l'occasion d'une grève de ses pompiers cette année-là, le quartier centre-sud de Montréal a connu une véritable tragédie qui porte le désormais célèbre nom de «week-end rouge». Des pâtés de maisons, de ces maisons vétustes et fragiles, se sont envolés en fumée. Des dizaines de familles ont été jetées sur le pavé.

Responsable de la planification et de la réalisation des programmes d'horticulture et d'embellissement de la Ville de Montréal, il est appelé, pour la suite des événements, à rencontrer les citoyens du quartier centre-sud et à écouter leurs doléances.

Il s'attend à trouver des personnes désespérées, vindicatives. Elles ont perdu leurs domiciles, leurs biens. Peu de biens, mais des souvenirs. Il leur reste un cratère, une zone sinistrée, une cicatrice. Au lieu de vouloir fuir et trouver dans des quartiers neufs une consolation, le comité de citoyens a opté pour le courage.

— Que voulez-vous? Qu'est-ce que vous attendez de la Ville? demande Pierre Bourque.
— Nous, ce qu'on voudrait, c'est un jardin!

Pierre Bourque est bouleversé.

— Vous allez l'avoir, votre jardin.

Il va le leur faire. Mobiliser. Mettre tout en œuvre pour que dans ce quartier, à travers arbres, verdure et potagers, la vie normale reprenne son cours. Les recoins tristes sont transformés en jardins où les enfants s'ébattent! Ce sont de beaux souvenirs. Voilà comment des gestes simples prennent une dimension d'action sociale. Comment le jardin peut devenir consolateur, réparateur.

Le «grand jardinier», le «planteur de fleurs», comme on le surnomme parfois, peut se réjouir. Cette expérience émanant d'un désastre donne le coup d'envoi d'un engouement sans précédent. Désormais, dans tous les coins de la ville, dans plus de 70 jardins communautaires, 7 000 Montréalais découvrent les joies de la terre.

Ces jardins potagers sont des lieux d'échanges et de convivialité, des sites privilégiés d'harmonie. La guerre des générations, des sexes et des races ne peut pas avoir lieu autour d'un plan de tomates.

Pourquoi s'arrêter sur cette lancée? Les citoyens aiment ce que sont devenus leurs espaces désaffectés et stériles. Il est naturel d'entretenir cette solidarité pour redonner une certaine esthétique aux ruelles de Montréal. Ces arrière-cours bourrées de hangars dangereux servent souvent de dépotoir. Elles prennent, sous l'impulsion de l'administration municipale, une tout autre allure. Le grand ménage cède la place à un aménagement paysager qui fait revivre la ruelle. Un nouvel espace à découvrir et à vivre. La qualité esthétique est indéniable, mais que dire de la valeur sociale d'un tel projet?

Plantation d'arbres, d'arbustes, de fleurs. Renaturalisation de falaises, talus et buttes. Partout. Comme si la ville voulait devenir un immense jardin. Comme si Montréal, froide durant de trop longs mois, se vengeait, l'été venu, et en mettait plein la vue. Pour celui qui initie ces travaux, les supervise, leur insuffle une âme, il n'est que normal que le Jardin botanique étende ses racines jusque dans les quartiers. Car le Jardin même perdrait son sens s'il n'était pas alimenté par toutes les fleurs, toute la verdure, tous les arbres des quartiers de la ville.

L'opération 1 000 000 de fleurs réalisée dans la foulée des Floralies internationales en 1980 a permis, de 1980 à 1982 inclusivement, la distribution de 6 000 000 de fleurs!

Les Montréalais commençaient à s'habituer à ce geste de fleurir. Il faut rappeler dans quelle circonstance cette initiative a pris fin.

En même temps que la ville offrait au monde une exposition d'envergure, les Floralies, il fallait faire quelque chose pour les citoyens. Ce cadeau allait constituer une sorte de redevance. Le budget de fleurs, de 500 000 $, touchait 60 000 familles totalisant 200 000 Montréalais.

Le maire Jean Drapeau ne pouvait ignorer que ce geste, amical et généreux, allait avoir des répercussions bien au-delà de la simple plantation de fleurs: les citoyens encouragés à installer des boîtes à fleurs, à repeindre leurs balcons, bref, à améliorer leur environnement participaient à l'aspect visuel général de la métropole.

Mais après trois ans de ce régime de générosités estivales, le grand patron a décidé d'y mettre un terme. Il a proposé une autre façon de faire.

— Monsieur Bourque, vous avez expliqué aux gens comment planter des fleurs, maintenant qu'ils le savent, à l'avenir vous leur donnerez seulement des graines.

Pierre Bourque n'a pas pu expliquer au maire l'incongruité de son idée, la difficulté de sa réalisation, que les maisons de Montréal ne sont pas des serres et que donner des graines équivalait à tuer dans l'œuf la vie naissante.

Une journée dans la vie de Pierre Bourque est tout le contraire de ce qu'on imagine chez un fonctionnaire. Il marche beaucoup, rencontre les employés, discute dans un coin de la bonne marche des travaux, entretient les multiples liens qu'il tisse dans la communauté.

Il est éminemment sensible à la qualité de vie des citoyens de Montréal. La moindre plainte, qu'elle émane d'un citoyen ou soit l'objet d'un article de journal, reçoit son attention immédiate. En cela, il ressemble à Jean Drapeau, qui avait ce regard de maire porté sur les grandes choses mais aussi sur l'état des rues, l'entretien général, l'administration quotidienne de sa ville.

Un jour, il venait d'être nommé directeur associé des parcs, il reçoit la lettre d'un homme désespéré. Cet homme à la retraite habite avec sa sœur un condominium situé face au parc Viger, entre les rues Amherst et Saint-Hubert. Depuis deux ans, il vit un véritable cauchemar. Sous la fenêtre du salon, tous les jours, tous les soirs d'été, il a sous les yeux des scènes de racolage et de prostitution. Dans les buissons touffus, les couples s'enlacent et forniquent. Sans égard pour les témoins bien involontaires. Sans considération non plus pour la partie du parc réservée aux enfants.

Le pauvre homme a honte. Pire, il a peur. Il se plaint à la Ville. Il écrit des lettres ouvertes aux journaux. Il raconte son histoire à tout le monde. Il essaie tant bien que mal d'attirer l'attention sur un problème qui peut paraître amusant de loin, mais qui est pour lui un enfer. Il ne peut profiter ni de sa maison ni de son quartier. Son environnement est pollué.

Deux années de démarches, de mobilisation. Silence. Rien qui laisse entrevoir une quelconque action, une ébauche de solution. Pourtant, en face, comme une vigie sur le parc, l'édifice des Travaux publics.

L'homme en est arrivé à la solution extrême; il doit déménager. Il ira en banlieue, puisque la ville lui fait désormais horreur.

En désespoir de cause, il écrit à Pierre Bourque, qu'il implore de venir constater lui-même ce qu'il a à subir. Un tel appel au secours ne reste pas lettre morte. Après voir pris rendez-vous, Pierre Bourque va chez lui, constate par la fenêtre quelle vue plongeante il a du parc. Puis, ils vont tous les deux dans le parc constater l'état lamentable des buissons, la saleté répugnante qui y règne. Pierre Bourque a honte. Honte de sa ville.

De retour au bureau:

— Rasez tous les arbustes et nettoyez le parc! a-t-il ordonné à ses employés.

En 2 ans, il ne s'était rien fait. En 15 jours, le problème était réglé.

Jusqu'ici, Pierre Bourque réussit à maintenir le cap de ses certitudes. Le patron sait mener sa barque. Il s'est entouré d'une équipe forte, bien enracinée. Il va s'alimenter largement aux autres cultures par des voyages d'où il revient avec en lui-même de plus grandes forces harmonieuses.

Il met le paquet, en 1980, pour mener à bien les Floralies internationales. Durant le printemps et l'été de cette année-là, les visiteurs du monde et bien sûr les Montréalais ont été les témoins privilégiés d'une floraison monstre, somptueuse, d'aménagements inspirants. La découverte de plantes et fleurs d'autres pays: un paradis retrouvé.

11

DEUX AMIS ET DES INSECTES

« La simplicité du caractère
est le fruit naturel d'une pensée profonde. »
HAZLITT

La seule photo un peu osée de Pierre Bourque a été prise à la suite d'une chute dans l'eau d'une rivière en Ungava. Le directeur du Jardin botanique de Montréal tient d'une main son pantalon, de l'autre, triomphal, un poisson.

En compagnie d'un ami, l'entomologiste Georges Brossard, il va quelquefois reprendre son souffle dans le Québec profond et lointain et taquiner le doré ou bien la truite.

Un jour, au beau milieu d'un lac, Georges Brossard debout dans la chaloupe provoque une véritable pêche miraculeuse. Les poissons mordent à son hameçon sans interruption. Pierre le regarde, incrédule:

— Il faut avoir la foi, lui dit Georges.
— Tu as plus de chance que moi, c'est tout.
— Non, avec la foi ça mord, je t'assure!
— Tu dois avoir une meilleure technique.

Georges s'emporte, exalté, soudainement inspiré:

— Pierre, tu crées des émotions, tu suscites des passions, pourquoi ne transposes-tu pas ce pouvoir que tu as à la pêche? Tout ce que tu réussis avec les humains, transpose-le ici, tu vas voir que ça va mordre!

Et de fait, comme dans la chanson, «... des p'tits poissons sau... sautèrent pas milliers». C'est leur histoire. Mais il faut les voir aussi en forêt. L'un identifie tout ce qui vole et rampe: il en connaît plus de 300 000!

— Non, 350 000 à l'œil.

Les noms vulgaires, les noms latins. Le tout déclamé dans de grands éclats de rire enthousiastes. L'autre identifie tout ce qui pousse; il en connaît lui aussi plus de 300 000. C'est un jeu de savants. Pas de devinettes, pas d'à-peu-près. Ils se regardent et mesurent leur envie dévorante de tout savoir, une passion commune. Leur folie tout court.

— On se fout du monde entier. On frôle l'extase.

En Abitibi ou en pleine jungle équatorienne, si on les croise, on va les reconnaître tout de suite: ils rient et parlent en latin!

Georges Brossard aime se mettre en état de liberté. C'est à ce prix que, dit-il, «les forces impératives du cœur de l'homme se libèrent». Il connaît le Code civil, «l'ancien», par cœur. Il a écrit 3 ou 4 romans qu'il réécrit sans cesse. Il a été notaire. À 38 ans, il a changé de cap, tout abandonné, revu et corrigé. Libre.

Leur histoire est différente. Leurs caractères sont à l'opposé. L'un est calme et raisonnable; l'autre est exubérant et excentrique. La première rencontre entre les deux a été électrisante!

— Je t'ai haï, dit-il en riant à Pierre Bourque.

Commencée comme toutes les collections modestement, celle de l'entomologiste Georges Brossard est devenue rapidement exceptionnelle, à l'image de sa personnalité, de sa fureur d'exceller.

Les insectes et les papillons épinglés en ordre, sur des dizaines de rayons de bibliothèque, dans des tiroirs codifiés, bien en vue dans des vitrines hermétiques, selon leur genre, les régions du monde où ils ont été capturés, témoignent de la riche diversité d'un univers méconnu, quelquefois méprisé, voire haï.

Certains spécimens sont toutefois, il faut bien l'admettre, fascinants par leur beauté et leur couleur; d'autres ont carrément l'allure de pierres précieuses. Une fois les préjugés, la peur et le dégoût surmontés, ils sont prêts à entrer dans notre culture.

Après avoir organisé moult expositions temporaires un peu partout afin surtout de sensibiliser les enfants, l'idée d'une permanence, d'un lieu, d'une institution stable prenait forme dans sa tête.

Il a donc demandé au maire Jean Drapeau de le recevoir et il lui a présenté son projet d'un Insectarium international pour Montréal.

C'est une idée originale, différente. Après une heure à peine de présentation, passionné, Georges Brossard n'a eu aucun mal à convaincre son interlocuteur.

Le maire, qui a souvent saisi au vol les idées comme son vis-à-vis les papillons, parle déjà de «son» Insectarium pour «sa» ville.

Mais par souci de respecter la structure et l'autorité de ses collaborateurs, il dirige Brossard vers Bourque.

— Je lui fais parvenir tout de suite une note lui demandant de vous recevoir, promet le maire.

Georges Brossard part rassuré et ravi. Gonflé d'espoir. Son projet est dans l'air du temps. Il ne doute pas le moins du monde de le voir se réaliser.

Mais le temps passe et personne ne donne suite.

Pendant ce temps-là au Jardin botanique:

— Qu'est-ce que c'est que cette histoire d'Insectarium?

Pierre Bourque, qui a lu la lettre du maire, reste perplexe devant cette idée. Comment pourrait-il spontanément se rallier ou s'enthousiasmer? Sa formation scientifique et technique est incompatible avec l'idée de donner asile aux ennemis naturels et implacables des fleurs et des plantes!

Il met la missive de côté, souhaitant dans son for intérieur qu'il n'y ait pas de suite. Trois mois plus tard, impatient, Georges Brossard décide de rappeler monsieur le maire. Cette fois, c'est Jean Drapeau lui-même qui téléphone au Jardin botanique et se fait insistant:

— Monsieur Bourque, c'est très sérieux, je veux absolument que vous me donniez votre avis sur ce projet.

Le directeur du Jardin ne s'exécute pas de bonne grâce. Il téléphone à cet hurluberlu qui le dérange et lui demande de venir le voir à son bureau.

Il s'entend répondre froidement et fermement:

— Ce que j'ai à vous montrer ne se transporte pas. Venez chez moi.

À 14 heures, un mercredi, il s'en souvient encore, Georges Brossard voit arriver Pierre Bourque et deux de ses collaborateurs.

— Je voyais très bien son irritation, raconte le fougueux entomologiste. Il se demandait qui était ce personnage qui osait le déranger au beau milieu de la semaine pour des bibites!

Dès que Pierre Bourque eut franchi la porte de cette caverne d'Ali Baba, dès qu'au fur et à mesure il a pris conscience de ce qui se trouvait là, sous ses yeux, il a été charmé et bouleversé.

Les paroles animées, la passion difficilement con-
tenue de Georges Brossard entraient en lui comme du
petit lait. Il trouvait un écho à ses propres passions, découvrait un être avec qui il était, au-delà des diffé-
rences ou des apparences, en profonde communion de
pensée. Transmettre, éduquer. Responsabilité. Héritage. Des mots clés qui ouvraient toutes les portes de
sa sympathie. Par ailleurs, lui-même, en même temps
qu'il laissait tomber un à un ses préjugés à propos des
insectes, découvrait, émerveillé, un monde nouveau
et miraculeux de beauté et de science.

Dans le cahier de pensées et commentaires que
Georges Brossard tend à ses invités au moment de
leur départ, Pierre Bourque écrit:

«En rêvant du jour où nous inaugurerons
l'Insectarium de Montréal. Félicitations pour
apporter au Québec une dimension si belle et
si authentique du monde entier.»

C'est dire combien il est convaincu. Combien
déjà s'ébauche la stratégie qui va permettre à l'Insectarium de voir le jour. Et sans plus l'ombre d'une
arrière-pensée. Sans regret. Il ne reste pas accroché à
sa réticence initiale. Il sait apprécier la créativité, le
génie des autres.

Cette attitude, doublée d'une formidable énergie
de travail, a comblé les Montréalais. L'Insectarium est
le fruit d'une belle performance. Et même si, de temps
à autre, en cours de réalisation, les caractères forts des
deux hommes ont dû trouver un terrain d'entente,

s'ajuster, ce fut le début d'une amitié, d'un compagnon-nage, d'une complicité. En mettant leur projet au-dessus des guerres mesquines, ils ont gagné sur tous les plans.

Au lendemain de leur rencontre, Pierre Bourque, enthousiaste, est déjà attelé à la tâche. Déjà actif. Il va négocier des budgets, frap-per aux bonnes portes, un peu partout, à l'Office du tourisme notamment.

La machine est en mar-che. Convaincu, il a su con-vaincre. Il a dû même, et c'est ironique quand on songe que quelques semaines auparavant il était de ceux-là, combattre le scepticisme de certains milieux, même

Pierre Bourque annonçant en 1990 l'ouverture de l'Insectarium.

scientifiques, jaloux sans doute de ne pas y avoir pensé les premiers, plus tôt. Il ne viendrait à l'idée de personne aujourd'hui de contester la valeur intrinsèque de l'In-sectarium sur les plans de conservation des espèces et surtout d'éducation.

Car l'Insectarium de Montréal est le premier du genre en Amérique du Nord. Et plus encore: un modèle international. Plusieurs pays s'en inspirent.

Il fallait ouvrir la voie. Y croire et résister.

12

LA NATURE ET
LES HOMMES

Le monde n'est pas seulement le Jardin. Ni même la Ville. Mais il est aussi tout cela. Il a beau leur consacrer tout son temps, il reste conscient des conflits, des guerres, inquiet de l'avenir pour certains peuples opprimés, notamment au tiers monde. Il pense aussi à la jeunesse. L'avenir de ses propres enfants n'y est pas étranger. Ce qui se passe dans les écoles, la violence au quotidien, le destin du Québec, sa place dans le monde sont parmi ses préoccupations.

Les voyages l'ont formé. Le rapport des paysages avec les hommes sont de grandes leçons.

«21 novembre 1985: La Chine est derrière nous, écrit-il. Nous l'avons laissée dès notre arrivée à Schenzchen, ville frontière de Hong-kong. Les champs et les paysans que je voyais défiler inlassablement de ma fenêtre du train seraient donc mes dernières images de la Chine profonde, de la Chine agricole, celle qui m'a le plus marqué et qui reste pour moi le plus beau témoignage de la relation harmonieuse entre l'homme et la nature.

26 juillet 1977: L'amitié des hommes et des femmes de l'Équateur, facilitée par la connaissance de la langue, la beauté et la diversité de la nature, l'absence remarquable de tourisme international avec sa panoplie d'affiches et de gadgets, le visage et le sourire des enfants dans lesquels je retrouve les miens m'ont rendu ce pays attachant. ... Autant Santo Domingo de los Colorados m'était apparue artificielle, autant Cuenca sait nous charmer par la diversité de ses églises, ses jardins très propres, ses rivières aux eaux limpides sur les bords desquelles les femmes viennent laver le linge.»

Pierre Bourque tisse des liens dans tous les milieux, universitaire et scientifique notamment, mais aussi avec des penseurs tels que Pierre Dansereau ou le cinéaste Frédéric Back, deux hommes qui ont souvent pris sa défense quand l'œuvre ou l'homme étaient en péril.

À leur contact, renforcé par leurs propos, il a développé une conscience aiguë de l'environnement, de l'enjeu d'une ville humaine.

Il croit que l'une des façons de contrer la violence, de créer l'harmonie, est de faire vivre les gens dans un environnement sain, dans la beauté. Il veut tout simplement utiliser ses fonctions pour réaliser cet objectif.

En compagnie de Pierre Dansereau et du maire de Montréal, Jean Doré.

Durant le règne d'Yvon Lamarre, président du Comité exécutif sous l'administration Drapeau, Pierre Bourque sent tout de même une volonté de faire une ville vivable pour les citoyens et il se donne passionnément dans cette entreprise. Tout ce qui va dans le sens de cet objectif l'emballe: la création des miniparcs, la revitalisation des rues de Montréal, les places au soleil, l'aménagement des rues piétonnières Prince-Arthur et Duluth, pour ne nommer que ces projets.

Mais ces initiatives ne vont pas assez loin, surtout pour ce qui est d'apporter des solutions aux problèmes du logement, juge le parti d'opposition, dont les critiques sont vives. Après les années difficiles des Jeux, l'administration du Parti civique a du plomb dans l'aile.

Lorsque le Rassemblement des citoyens et citoyennes de Montréal se fait élire à l'élection de 1986 avec, à sa tête, le maire Jean Doré, Pierre Bourque est le premier à se réjouir de ce changement.

Salutaire et rajeunissant. Ce souffle nouveau, qui laisse loin derrière les politiques de la génération de son père, la venue de femmes et d'hommes plus près des préoccupations actuelles a de quoi fouetter les ardeurs. Il la sent, cette ferveur. Il la souhaite.

Résultat de réformes administratives entreprises par le secrétaire général de Montréal, Pierre Le François, en 1987, un gestionnaire qui considère Pierre Bourque comme un fonctionnaire parmi les autres, sans égard pour ses réalisations passées, sans tenir compte non plus du fait qu'un tel homme a besoin d'avoir les coudées franches, Pierre Bourque se retrouve victime d'un organigramme qui le place très bas dans la structure municipale et lui lie les mains. Il est obligé d'en référer constamment à son supérieur hiérarchique s'il veut, par exemple, établir des contacts internationaux.

Première grande guerre larvée et dévastatrice, mais qui ne mine pas pour autant l'esprit d'entreprise du directeur du Jardin botanique.

On l'oblige à se retirer dans ses terres par la force des choses. Ce qui est une façon de parler. Pierre Bourque se réfugie dans «son» Jardin.

Cette retraite est plus menaçante. Car c'est sur ce terrain qu'il va agir. Dans cet espace qui semble limité que les grands projets mis de l'avant vont prendre une ampleur considérable.

Plongé dans une aventure extraordinaire, il réussit à obtenir du Japon, de Shanghai et de Hong-kong les plus importantes collections de bonsaïs hors de l'Asie. C'est un exploit sans précédent. On peut imaginer, à la manière d'un roman, comment le charme Bourque a opéré sur des esprits orientaux, comment il a pu avec intelligence et diplomatie ouvrir des voies, des portes, s'adapter aux mœurs, développer en lui-même les vertus taoïstes. Des témoins aux premières loges affirment qu'il existe entre les Chinois et Pierre Bourque un courant quasi mythique.

Novembre 1989: Pierre Bourque avec M. Fukuda, ancien premier ministre du Japon et président de la *Nippon Bonsaï Association*.

Il les voulait, ces bonsaïs! Il voulait par ces petits arbres établir une relation entre ce peuple et le sien.

— J'ai toujours travaillé avec les gens par le biais des plantes, confie-t-il.

Il est dès lors heureux de recevoir, en 1984, en cadeau pour Montréal, une partie de la précieuse collection de penjings de M. Wu Yee-Sun de Hongkong, des arbres miniatures précieux, taillés et sculptés selon l'école chinoise de Linghan. Ils ont été installés dans une serre réaménagée pour les recevoir.

Il a damé le pion aux Américains qui souhaitaient vivement recevoir pour le Jardin de Washington cette admirable collection. Depuis cet incident qu'ils considèrent comme un échec, là-bas à Washington, au U.S. National Arboretum dirigé par le Dr Mike Cathey, on l'a surnommé: «*the fox*».

Le Jardin de Chine, réalisé avec Shanghai, conçu par l'architecte Le Wei Zhong, construit dans les règles de l'art et le respect des traditions millénaires, est le plus beau en dehors de la Chine. L'idée est le prolongement naturel de l'amitié établie depuis 1980 entre Shanghaï et Montréal et avait germé au moment des Floralies en 1980.

Pour Raymond Wong, président de la Communauté chinoise de Montréal et président de la Société pour le Jardin de Chine, ce jardin-là est le plus beau. Il apporte aux Chinois, qui sont près de 90 000 à Montréal, un lien direct avec leur culture, un lieu d'apaisement, de retrouvailles.

«C'est un projet qui nous a réunis, qui a provoqué un consensus. Et nous sommes fiers d'y participer dans la mesure de nos moyens.»

Le Jardin chinois.

Il a voyagé en Chine avec Pierre Bourque et a pu le voir à l'œuvre. Fasciné par son énergie, par ses connaissances, par le grand contrôle sur lui-même:

> «Nous avons pris beaucoup d'avions, raconte Raymond Wong, et je n'ai jamais entendu Pierre Bourque se plaindre ni avouer sa fatigue. Il était toujours ponctuel. J'ai observé son calme. J'ai vu combien la cause du Jardin de Chine lui tenait à cœur.»

Et pour ce dévouement, Pierre Bourque est payé en retour par une grande affection des Chinois de Chine et de ceux d'ici.

En même temps, il ne faut pas oublier les serres du Jardin botanique, toutes les serres, tous les jardins extérieurs qui subissent des améliorations: la roseraie, l'*arboretum*, le jardin alpin, la trentaine de jardins spécialisés qui s'enrichissent de nouvelles essences pour le plus grand plaisir des connaisseurs. Avis aux amateurs de statistiques: le Jardin compte déjà plus de 26 000 espèces et variétés de végétaux!

Enfin, l'Institut botanique de Montréal, fondé en 1920 par le frère Marie-Victorin, cède la place à un nouvel Institut de recherche en biologie végétale. L'Institut est logé dans le principal bâtiment administratif du Jardin. C'est un point culminant de la collaboration qui a toujours existé entre le Jardin et l'Université de Montréal.

Le jardin et le pavillon japonais sont inaugurés en 1988. Des lieux de cascades et de fleurs, de pierres, alcôves de recueillement, d'un certain art de vivre. C'est l'architecte paysagiste Ken Nakajima de Tokyo qui en est le maître d'œuvre. Ce jardin a pris la dimension d'un jardin important, mais l'est devenu davantage sur le plan social.

— Plus il vieillit et plus il est beau, observe Pierre Bourque.

Il a effectué quatre voyages au Japon, dont le premier dans le cadre des Floralies internationales de Montréal, en février 1980:

— Le pays m'est apparu si différent et si difficile d'accès que je m'étais réfugié dans les jardins impériaux de Tokyo pour trouver, auprès des plantes et des arbres, des alliés qui me permettraient d'affronter le Japon... Ayant ainsi apprivoisé la nature, je pouvais affronter les hommes et m'initier à ce pays où les traditions se confondent avec la société postindustrielle.

Le Japon l'intriguait sans le bouleverser. Il lui a fallu l'apprivoiser. Parfois de dure manière, parfois d'amusante.

En visite à Toyama où il est reçu avec faste, il assiste pour la centième fois à la cérémonie du thé. Puis, plus tard, au dîner officiel qui se déroule à la manière japonaise.

— Sans souliers et assis sur un fauteuil bas avec accoudoirs, j'ai la malchance de laisser découvrir un trou dans mes bas un peu trop usés. Avec beaucoup de délicatesse et en aparté, la propriétaire du restaurant me fait cadeau d'une paire de bas neufs sans faire aucune allusion au trou maudit, mais en soulignant la température humide et le temps frais d'automne!

Et il conclut ce fascinant voyage:

— Petit à petit, au fil des séjours que j'ai effectués, des amitiés et rencontres que j'y ai nouées, je me suis mis à aimer ce pays, son peuple, son sens du travail, de l'ordre et de l'organisation. J'ai surtout beaucoup aimé la longue et belle relation que ce peuple entretient avec la nature, cette manière particulière de bonifier les choses simples, d'entretenir un jardin de mousse ou de tailler une haie ou un pin.

Au cours de ces grands travaux, Pierre Bourque organise la vie quotidienne de façon que rien ne vienne entraver leur bonne marche. Il s'occupe des ouvriers, règle une multitude de détails qui pourraient sembler insurmontables.

On voit qu'il ne chôme pas. En même temps que se développe son réseau d'amis universitaires et scientifiques, ce qui permet au Jardin d'étendre des ramifications dans bien des pays du monde, il ne perd pas de vue l'esthétisme, ni le goût de rêver, ni l'enfance à qui il veut laisser un héritage.

Il s'est retrouvé sur les routes de France pour permettre la réalisation d'un autre projet merveilleux: celui de répertorier des arbres dans chacune des communes de six Montréal de France, et de les rapporter ici, à notre Montréal, pour les planter au Jardin botanique. En faire un jardin qui unit les deux peuples dans l'espace et le temps.

C'est une école, un apprentissage précieux pour ce qui vient et va mobiliser toutes les ressources de son savoir-faire. Une sorte d'apothéose.

Le Biodôme.

13

VERS D'AUTRES
SOMMETS

«Quand la misère m'assiège je ne peux pas m'apaiser sous des murmures de génie. Ma joie ne demeurera que si elle est la joie de tous. Je ne veux pas traverser les batailles une rose à la main.»
JEAN GIONO

Il est 19 heures. Le bruit des marteaux-pilons et des scies est assourdissant. Jean-Pierre Doyon, chef de division au Jardin botanique, et Pierre Bourque sont assis dans les gradins du Vélodrome de Montréal, vestige des Jeux olympiques de 1976 et lieu où se sont tenues les Floralies de 1980.

Ils ne parlent pas. Ils regardent, incrédules, des pistes de bois soulevées comme des fétus de paille. Ils ne parlent pas, mais se regardent, leur esprit soudain traversé de la même pensée.

«Ça y est! On ne peut plus reculer!»

L'émotion est vive. Excitation et trac confondus.

Bien sûr, ils ont beaucoup travaillé, le projet est à point, tout est prévu, pensé, le budget est voté.

Mais l'aventure est unique au monde. Il faut tout créer. C'est devant ce vide à combler, cette matière à réanimer qu'ils ressentent tous deux une sorte de vertige.

1987. Une première restructuration importante à la Ville donne à Pierre Bourque des responsabilités nouvelles, quelques patates chaudes que l'administration lui a refilées en douce: le Jardin zoologique, l'Aquarium, le parc Angrignon, le Planétarium. Activités nobles au départ, mais qui ont périclité au fil des années faute de développement, faute de vision à long terme. Abandonnées à elles-mêmes. Quelques histoires d'horreur sévissent là, que Pierre Bourque découvre en soulevant le voile.

Il faut prendre une décision: rentabiliser ou fermer. Dans leur isolement, comme des naufragés sur une île déserte, les employés de ces institutions cherchent aussi une manière de survivre. Les conditions de travail sont tendues. La Ville ne veut pas investir. C'est donc à Pierre Bourque de prendre la décision. Ce genre de décision qui provoque toujours des remous, ne serait-ce que pour la forme. Le principe syndical.

Comme pour une gangrène, l'amputation est nécessaire. L'opération a lieu au lendemain de l'élection de 1990, où Jean Doré a été reporté au pouvoir.

Les 12 employés ont reçu leur lettre et ont été priés de se présenter pour de nouvelles affectations.

— Je vous demande de croire en nos projets. De belles choses s'en viennent, leur dit Pierre Bourque.

Quelques-uns se rallient. Les autres se moquent de ce patron qu'ils prennent pour un ennemi. À leur demande, leur syndicat a obtenu qu'ils reçoivent une «libération» d'une année. La sinécure.

Le directeur du Jardin a eu du reste, en 1991, à faire face à la force aveugle d'une grève des cols bleus. Ils sont arrivés quelques centaines, un dimanche, au Jardin. Ils sortaient les visiteurs, chahutaient, faisaient circuler des pétitions, invectivaient, insultaient, menaçaient.

L'équipe était restée sur place pour assurer l'ouverture du Jardin et son bon ordre. Devant cette horde déchaînée, Pierre Bourque et quelques collaborateurs ont été forcés de se mettre à l'abri et de s'enfermer à clé dans le bâtiment principal.

Dans ce climat très dur, il s'est senti seul. La Ville n'a pas bougé. Sinon une vague conférence de presse pour marquer sa réprobation devant des actes de vandalisme. Mais c'était plus grave. Cette fin de semaine-là, quelques cadres ont subi des attaques contre leur propriété privée, leur automobile. De véritables bombes.

Mais on ne peut empêcher la vie de suivre son cours lorsque Pierre Bourque, la formidable machine qui est en lui, le monstre même, se met en marche.

Il a rétabli l'harmonie dans ses relations avec les cols bleus. La réconciliation a eu lieu un peu plus tard avec leur chef syndical, Jean Lapierre.

La réflexion se poursuit. Les intervenants autour d'une même table semblent de plus en plus convaincus du bien-fondé de réunir en un seul lieu, de créer une masse critique, de tout rapatrier autour du pôle Maisonneuve. Tout ce qui est verdure et animaux. Le Vélodrome, inutilisé à toutes fins pratiques, figure sur la liste des équipements.

À l'occasion de l'une de ces réunions, Pierre Bourque pose une simple question à Jean-Pierre Doyon, qui endosse la vision du patron, qui croit lui aussi à la pertinence du regroupement des installations autour du Jardin:

— Crois-tu qu'on pourrait mettre des plantes et des animaux là-dedans?

Jean-Pierre, un peu surpris, réfléchit quelques secondes et répond:

— Pourquoi pas? Oui. Un zoo. Des fleurs...
— On pourrait appeler ça le «Biodrome»!

Pendant ce temps-là, le Stade olympique se recouvre de son toit. Il suffit à Pierre Bourque de rattacher tous les fils conducteurs d'une seule idée: celle de regrouper les installations de l'est de la ville.

De faire grandir dans les esprits l'idée du «Biodrome». Premières réactions:

«Mais c'est impossible!»

«C'est hystérique! Il y a bien trop de problèmes!»

La Régie des installations olympiques cherche
depuis longtemps une vocation nouvelle au Vélodrome, véritable éléphant blanc depuis la fin des Jeux
olympiques. Il y a bien eu quelques propositions de
projets, certains farfelus, d'autres plus sérieux, à l'étude, notamment celui d'un musée des sciences et des
techniques, mais aucun n'a encore dépassé le stade de
projet.

En première étape, les biologistes appelés par Pierre
Bourque ont été invités à examiner la situation, à
donner leur avis. Leurs idées, même les plus folles,
toutes celles qu'ils nourrissaient sans doute depuis longtemps et sans trop croire à leur réalisation éventuelle,
ont été reçues, examinées avec intérêt. Jetées sur le
papier.

Elles ont servi à la première ébauche du concept. À
force d'y réfléchir, d'écrire sur le sujet, l'équipe d'une
douzaine de personnes s'est mise à y croire. Ce qui était
au départ une vue de l'esprit prenait forme et corps. Un
rapport d'une centaine de pages a permis d'imaginer
déjà à quoi pourrait ressembler un Biodôme. Car cette
fois le nom est trouvé. Le *r* a sauté à cause de l'architecture du bâtiment en forme de dôme.

En possession de cette étude, les architectes et les
ingénieurs ont vérifié la faisabilité du rêve. De ce
côté-là aussi, toutes les ressources de l'imagination et

de la créativité sont mises à contribution. Il faut inventer. Les Jules Verne modernes assoient leur imaginaire sur des notions connues, mais en élaborent d'autres purement expérimentales.

Les meilleurs d'entre eux, les plus talentueux, les scientifiques font face à un projet qui n'a rien de désincarné, bien vivant au contraire: faire cohabiter des plantes et des animaux et mettre à leur service une infrastructure complexe et sans danger.

L'enthousiasme va *crescendo*. Pierre Bourque réunit, anime, suit de près les étapes, mais surtout les méandres des pensées de tout le monde. Rien, pas le moindre petit détail, ne lui échappe. La flamme ne vacille pas, il la nourrit. Comme un père.

Ça avance. Chaque détail est étudié à la loupe, on interroge des savants dans le monde.

— Théoriquement ça marche, répondent-ils.

Mais personne n'a encore vécu une expérience aussi complexe. Pour régler en cours de route des problèmes d'ingénierie et de structure, le réseau de contacts avec tous les jardins botaniques et tous les jardins zoologiques du monde s'est animé. Deux pays sont fortement mis à contribution: les États-Unis et le Costa Rica.

À travers toutes ces démarches, ce casse-tête, cette ferveur aussi, Pierre Bourque ne perd pas de vue l'objectif ultime: ce vaste musée de sciences naturelles doit servir une vocation éducative. Le volet touristique n'est pas négligeable non plus.

Tous les matins il est là, casque protecteur sur la tête, dans un rituel implacable. Il a fait le tour du chantier, saluant tous les ouvriers, spontanément, systématiquement.

À la fin de la journée, il est encore là, discutant, soupesant, évaluant. Il veut prendre le pouls, constater les progrès. Sentir où en sont les choses. Une de ses préoccupations majeures, un défi qu'il s'est fixé, est de rester rigoureusement dans les limites du budget accordé par les gouvernements.

Malgré lui, chaque jour tisse des liens d'un attachement nouveau à cette œuvre maîtresse. Il est porté par elle. Et depuis la première exaltation, à moitié bonheur, à moitié peur, vécue dans les gradins avec Jean-Pierre Doyon, il apprivoise le Biodôme.

Il ne compte pas les heures. Seul compte le plaisir qu'il a d'en vivre la conception. Comme un fœtus en son sein, les moindres signes de vie naissante, qu'ils soient en coulisses ou spectaculaires, l'émeuvent. Ses amis et même ses enfants ont pu, à loisir, assister des premières loges à la naissance attendue. Ces visites privilégiées sont menées tambour battant. Le guide arpente des corridors secrets, contourne des échafaudages de fortune, veut avec des mots transmettre la vigueur de ce microcosme. Partager. C'est un besoin fondamental.

Vision de la Terre, vision du monde, le Biodôme se construit comme une œuvre d'art. Il ne veut rien manquer de ce spectacle unique, s'extasie devant le talent des artisans, leur capacité d'animer l'inanimé.

Cette sympathie lui vaut à plusieurs reprises que les travailleurs du site se dépassent. Donnent tout. C'est rare dans un monde où le travail est calculé en temps double. Ils ont donné un dernier coup, un travail de dernière minute, juste pour lui. À cause de lui.

Il s'est donné. Ils l'ont fini à bout de bras, ce Biodôme. Il n'y avait plus d'argent pour... une dernière couche de peinture au sous-sol. Plus d'argent pour la publicité avant l'ouverture.

Les mauvaises langues lui jetaient un sort. On affirmait qu'il ne finirait pas les travaux dans les délais prévus, ni à l'intérieur des budgets votés.

Au fil des années, Pierre Bourque a hérité de la responsabilité «naturelle» du Planétarium, du Jardin zoologique, de l'Aquarium, de l'Insectarium.

Sa tâche s'est profondément modifiée. Grâce à des réalisations spectaculaires, l'horticulteur en chef de la Ville a pris une dimension internationale. On reconnaît son entrepreneurship, sa capacité de diriger des hommes, d'insuffler de l'énergie, d'animer, mais surtout de maximiser les ressources.

Au Japon, un pays pourtant habitué à la démesure, aux travaux d'envergure, Pierre Bourque inspire le respect. En Chine, en Amérique centrale ou en Europe, partout il crée des liens solides d'amitié.

Cette renommée internationale est un phénomène unique pour un fonctionnaire. Elle s'explique aussi par ses qualités personnelles; la sympathie qu'il éprouve pour les autres peuples n'est pas feinte.

Il aime ceux d'ici, d'abord. Mais comme c'est le cas, parfois, chez des petits peuples, c'est de l'intérieur que sont venus les coups bas, les crocs-en-jambe. Des chicanes stériles.

En décembre 1991, le Comité exécutif de la Ville de Montréal propose un changement en profondeur des structures administratives de ces institutions. Il veut mettre sur pied une société paramunicipale: la Société des musées de sciences naturelles de Montréal, qui aura la responsabilité de gérer tous les équipements scientifiques de la Ville, Jardin botanique, Insectarium, Planétarium. Et bien sûr le Biodôme.

Cette nouvelle organisation a pour effet de confiner Pierre Bourque au Jardin, de ne lui laisser qu'un rôle d'animation.

La décision arbitraire et mécanique provoque une levée de boucliers: on ne doit ni neutraliser ni museler Pierre Bourque.

Dans le document initial préparé par le secrétariat général, on peut lire ceci:

«Tout en préservant les acquis passés, le Comité exécutif désire que l'accent soit principalement mis sur la vulgarisation des sciences naturelles et la promotion d'événements mettant en contact les citoyens et les citoyennes avec ce type d'activités.»

«Dans sa forme actuelle, la nouvelle société paramunicipale transforme le Jardin botanique en un vaste conservatoire de plantes rares dans la pure tradition du XVIIe siècle, sans mission scientifique et éducative, écrit Pierre Bourque à la Ville. Deuxième en importance au monde, le Jardin botanique se retrouve sans botanistes à son service. Il en est de même pour les sections de vulgarisation scientifique, d'exposition, de service à la clientèle et d'entretien, qui disparaissent du Jardin botanique pour atterrir dans des structures centralisées.»

Comment traverse-t-il cette épreuve? Parfois, tard le soir, des amis le retrouvent silencieux et brisé. Il souffre. De l'incompréhension de ses supérieurs d'abord. Mais surtout de mettre à jour, sous leur volonté apparente de saine gestion, le dessein de le réduire.

Mais la colère qui gronde, celle de ses amis, de ses employés même, le ramène à l'essentiel. Il se sent réanimé par ces appuis.

Il découvre, dans une sorte de révélation, qu'il est aimé. Peut-être y a-t-il là le germe d'idées? Porté ainsi, l'engagement politique sérieux est une petite voix intérieure qui chuchote, manifeste sa présence.

La lutte se poursuit.

Les membres du Comité consultatif international du Biodôme ont écrit au maire Jean Doré pour dénoncer la création de cette société.

Les signataires de cette lettre sont: le recteur de l'Université du Québec à Montréal, Claude Corbo; l'écologiste Pierre Dansereau; le directeur de l'Institut de recherche en biologie végétale, J. André Fortin; le réalisateur Frédéric Back; et le philosophe Jacques Dufresne; ainsi qu'Estelle Lacoursière, écologiste.

«Il semble, écrivent-ils, que la structure proposée réduise à ce point le personnel d'encadrement qu'une partie importante de l'expertise développée pendant trois années de conception et de construction sera perdue.»

Le comité des employés du Jardin botanique a aussi fait connaître sa position. Cols bleus, cols blancs, quelques cadres, unis cette fois, solidaires, ont décidé de former un comité de survie du Jardin.

Bien au-delà de la conservation de leurs emplois, ils sont de toute façon protégés, ils s'unissent pour sauver le Jardin. Cette solidarité nouvelle, issue d'une crise, gomme les petites amertumes syndicales consécutives aux décisions antérieures de Pierre Bourque.

Le Biodôme est ouvert officiellement le 19 juin 1992.

Les élus de tous les niveaux prennent conscience de l'impact de cette réalisation fabuleuse et cherchent à s'en servir pour leur propre gloire.

Le jour de l'ouverture, des centaines d'invités de tous les milieux découvrent, émerveillés, le talent, le génie même des architectes, des ingénieurs, de tous les artisans et artistes qui ont mené à terme le projet.

Il a fallu que le premier ministre québécois Robert Bourassa prononce le nom de Pierre Bourque pour que, enfin, on songe à installer une chaise sur la tribune d'honneur, qu'on lui rende un hommage légitime.

Les applaudissements sont montés, ont grondé dans une ovation sans pareille.

Un message sans ambiguïté: on ne laissera pas le père du Biodôme dans cette thébaïde.

Ce fut donc aussi un témoignage d'amour.

Devant l'inquiétude et la force de la protestation, le Comité exécutif de la Ville de Montréal révise sa position et décide de laisser le Jardin botanique et l'Insectarium sous la responsabilité du directeur du module des parcs, de l'horticulture et des sciences.

Cette machine arrière a eu pour effet de calmer les esprits, mais n'a pas complètement fermé la plaie laissée vive par la perte du Biodôme.

La crise a été violente. Elle ne s'est jamais tout à fait résorbée. Les travailleurs de la première heure, les tâcherons amoureux, ont ravalé leur peine. La vie suit son cours. Pierre Bourque, lui, a tourné la page. Aujourd'hui, encore parler du Biodôme lui ferait mal. Il se tait. Comme un père déçu d'un fils ingrat. Son silence n'est-il pas éloquent?

14

LES CHAGRINS
ET LES JOIES

«Les hommes riaient
d'entendre mes chagrins
disant: nous souffrons nous aussi
va donc gémir plus loin.»
FÉLIX LECLERC

Lundi, 8 août 1988. Il est 13 heures. À Saint-Sulpice, les enfants Bourque en vacances se lèvent tard. Anita vient tout juste d'allumer la radio. Son père travaille dehors.

— Mon Dieu! Papa! Papa! Félix est mort!

Son cri déchire l'air. Pierre Bourque lève des yeux incrédules vers sa fille qui lui fait de grands gestes de loin. Il laisse tomber la pelle et se rue vers la maison.

Il hausse le son de la radio. Partout on ne parle que de cela. Du départ soudain du grand poète-chansonnier. Déjà affluent les témoignages.

— Chaque Québécois portait Félix Leclerc en lui.

Pierre Bourque le portait lui aussi, il est vrai. Sa mort emporte une idole de sa jeunesse. Elle vient bousculer l'ordre des choses établi et selon lequel tout ce qu'on aime est éternel.

Le grand jardinier pleure. Les yeux noyés, il arrive tout de même à voir le fleuve, à y jeter des fleurs comme à un roi qui viendrait d'y sombrer.

C'est le deuxième grand chagrin en l'espace de quelques mois. Au mois de novembre dernier disparaissait René Lévesque. Il en est un autre à venir, très vaste, très profond. Déjà cette année-là Marcelle Bourque sa mère subit les premières atteintes de la terrible maladie de Lou Goerig. Elle a perdu rapidement l'usage de ses jambes et à la fin devait rester clouée à une chaise roulante.

Pierre Bourque assiste, impuissant, à cette lente agonie. Voir celle qui a été sa plus grande complice ne plus résister aux assauts de la maladie lui a été pénible, déchirant.

Elle est décédée le 19 avril 1990 à l'âge de 76 ans.

De Chine, il revient chaque fois avec de nouvelles révélations qui l'aident à poursuivre sa route, à regarder droit devant lui.

— Vous avez reçu des dons du ciel!

Un moine bouddhiste lit en lui à partir d'une baguette de bambou tirée au hasard parmi d'autres et d'un bout de papier écrit en mandarin et en langue thaï.

Enrique, l'aîné des Bourque, se dirige en récréologie. C'est un passionné des enfants. Anita étudie en communication, à la faculté des arts et sciences de l'Université de Montréal.

Pierre Bourque en compagnie de son père: les disputes passées sont désormais bien loin!

À la découverte de l'Asie avec son ami André Bouchard.

— Vous avez le devoir de vous tenir en santé pour en faire profiter la société. Vous devez mener une vie rangée et vivre harmonieusement.

Les paroles du vieux Chinois sont restées gravées. Pierre Bourque n'a jamais consulté de voyante, il ne croit pas à l'astrologie ni aux sciences occultes, mais le Chinois le trouble. Ses conseils arrivent à un moment charnière.

Le sage ne lui a rien dit sur sa vie amoureuse ni sur la famille.

La veille, au bord du Mékong, dans un rare moment de repos, il observe des Chinois qui lancent des pierres dans l'eau et mesurent jusqu'où elles tombent. Il en prend une, la lance de toutes ses forces à une distance incroyable! Les Chinois témoins de la scène le regardent avec une admiration très vive. Ils sont ébahis.

Ce qui étonne de lui au bord du grand fleuve, ce n'est pas tant la distance de la pierre lancée, c'est surtout sa capacité de jouer, de s'émerveiller. C'est dans des situations comme celle-là qu'il devient extrêmement attachant. Irrésistible.

Passionné de l'existence des choses nouvelles. Ceux qui ont voyagé avec lui sont unanimes: il est vraiment le compagnon de voyage idéal.

— Si tu devais vivre 1 000 ans, tu trouverais encore quelque chose de beau dans ce monde, lui dit son ami André Bouchard.

Il a vu un bout de Chine la nuit. La route bordée de bordels. Les prostituées aux 100 mètres, offertes aux automobilistes, aux camionneurs. Il est accablé par cette misère.

Heureusement réconcilié plus loin par un paysage, ou par la volonté du peuple de se prendre en charge. Il s'enrichit au contact de leur culture.

Ironique:

— Le premier Chinois connu fut Fu Hsi. Il a vécu 8 000 ans avant le Christ et a instauré le mariage en Chine... en plus d'inventer le filet de pêche et l'élevage!

À l'issue de ce dernier voyage en Chine, en novembre 1993 il écrit, plus sérieux, à la fois lucide et inquiet:

«Je suis à l'autre bout du monde mais je suis en même temps à Montréal. Je pense à toutes ces luttes, à ces combats pour bâtir, construire, développer pour aider les hommes et les femmes de chez nous à s'élever, à grandir, à s'exprimer et à faire de belles choses. J'ai besoin de l'Asie comme à d'autres moments de l'Europe, de l'Amérique du Sud et des États-Unis pour me ressourcer et refaire mes forces. Mais comme à chaque départ, c'est le même combat qui revient, cette volonté crasse, bureaucratique de m'écraser, d'éteindre la flamme en moi, de me réduire... Trop de belles choses restent à faire et j'ai tellement d'autres défis à relever. J'ai passé tant de tempêtes et ne suis pas encore prêt à me reposer sur une mer calme. Il me faut cependant conserver le bon cap et mes liens avec l'immense solidarité humaine à la fois grande et fragile qui m'entoure.»

De buffets en buffets gastronomiques et somptueux, les hôtes chinois rivalisent en bons petits plats; à la fin du voyage, c'est autour de Pierre Bourque d'inviter ses amis, de les remercier.

Il rend hommage à chacun d'eux, révélant aux convives quelles sont les qualités, les liens qui les unissent. Chacun peut prendre la parole, raconter des anecdotes, revivre des souvenirs. Et les témoins de ces monologues émouvants se souviennent encore de M. Hu qui a rendu hommage à Pierre Bourque:

«Le Jardin de Chine à Montréal est notre inspiration et notre modèle...»

Il a les yeux rouges, sa voix est rauque.

«Il y a eu des moments difficiles où tout aurait pu se rompre...»

La traductrice aussi a la voix brisée par l'émotion. Un autre la remplace. Monsieur Hu continue son hommage d'une voix forte, les larmes au bord des yeux. La salle est parfaitement silencieuse, suspendue aux lèvres de ce grand Chinois qui pleure. Pierre Bourque ne peut contenir son émotion.

«Ce fut l'un des beaux moments de ma vie», dit-il.

Un moment consolateur. Où la reconnaissance et l'émotion venaient d'ailleurs, à des milliers de kilomètres de Montréal.

15

MONTRÉAL COMME LE FOND DE SA POCHE

> «Celui-là a réussi sa vie qui a fait monter
> son esprit aussi haut qu'il peut monter.»
> ALEXIS CARREL

C'est fascinant de faire un tour de ville avec lui. Il conduit comme s'il était sur une route de campagne, avec les mêmes hésitations, les mêmes ralentissements intempestifs. Il pointe du doigt en direction d'un parc, souligne d'un coup de menton l'endroit qu'il faut regarder.

Il sait tout de la nature de la ville, mais aussi des maisons, des rénovations, de l'abandon, des rues laissées-pour-compte, de celles qui racontent notre histoire. Spontanément il se tient dans l'est, son lieu de prédilection. La géographie actuelle de la cité lui est familière, autant que celle d'il y a quelques années. Il se dirige aussi bien qu'un chauffeur de taxi.

Le plus fascinant encore est ce réflexe qu'il a de nommer spontanément et sans erreur l'essence des arbres plantés sur telle ou telle rue.

Attentif aux détails, il remarque de nouvelles affiches «À vendre», se désole devant des murs placardés, le marasme des rues désertes et grises.

— La ville est malade. Il faut la sortir du pétrin.

C'est là que l'on saisit le mieux que, bien que fonctionnaire, il n'a jamais œuvré derrière un bureau ni une liasse de documents, mais sur le terrain. C'est sur le terrain qu'il peut immédiatement reconnaître comment améliorer le sort des habitants d'un quartier.

Il a un don pour voir ce qui est désordonné. Ce qui est bien fait, mais aussi ce qui est illogique. Cette dualité est en lui, profonde et indéracinable. Toujours cette recherche d'équilibre.

On peut l'amener sur une voie poétique, où il retrouve son âme. On n'a qu'à lui demander ce qu'est une fleur pour que l'horticulteur en lui s'éveille:

— C'est la tendresse. C'est éphémère. Les orchidées, les fleurs des champs: c'est la couleur, l'esthétisme, la fragilité. C'est féminin. Dans les tourbières du Grand Nord, on marche sur des plantes sans d'en rendre compte, de toutes petites fleurs qui marquent le temps. Les fleurs sont généreuses, elles portent des fruits. La fleur, c'est la vie qui change.
— Qu'est-ce qu'un arbre?
— C'est la pérennité de la vie, au-delà de l'homme. L'arbre est sensible, sensuel, charnel. Protecteur, c'est lui qui habille la Terre. C'est puissant un arbre, c'est beau. C'est la force. Je ne peux pas imaginer un monde sans arbres. Toutes les civilisations racontent leur présence. Je préfère les feuillus aux conifères dans

la ville. Je préfère les conifères dans la montagne. Ils sont mystiques. On est petit dans la forêt. J'aimerais écrire un livre sur les arbres du monde.

Il a choisi sa maison actuelle parce qu'il y a un tilleul devant. Aussi parce qu'elle est à deux pas du Jardin botanique. Et aussi parce qu'elle ressemble aux maisons que son père construisait à l'époque.

Les autres raisons sont imprécises. Il doit revenir à Montréal: les enfants y habitent. Il se sent plus près de ses activités; la fatigue des longues heures de route accumulées a fini par se faire sentir.

Il va moins à la campagne depuis qu'il a vendu sa maison de Saint-Sulpice. Il a coupé des racines. Le 31 mars 1994, il quitte le Jardin botanique, il prend sa retraite de la Ville, après 30 années de service. Il coupe d'autres racines encore, peut-être les plus profondes.

Quand il a dit ses derniers mots à ses collaborateurs en quittant le Jardin, le maire Jean Doré l'a remarqué et l'a déclaré:

«Cet homme n'a que des amis ici.»

Il quitte des amis, les garde tous. En même temps, il reprend sa liberté.

Il a cherché à jouer un rôle, à influencer à sa manière. À travers ses luttes et ses gloires, il a atteint un lieu qui l'isole. Paradoxalement, c'est là qu'il va tout de même. L'avenir ne lui fait pas peur. C'est sa nature d'être porté par ce qui vient. Peu importe quel en est le prix.

Le grand jardinier se saborde, en quelque sorte, mais c'est pour aller aborder d'autres rivages. Si ces rivages sont inhospitaliers, à 52 ans il ne fera pas naufrage. Il va retourner à ses fleurs, à ses arbres, à son enseignement, se nourrir à d'autres humus.

En parlant, il allonge une fois de plus le bras pour montrer de loin les premiers bourgeons, s'exclame devant le cardinal flamboyant venu, du grand Jardin dans son modeste jardin à lui, lui dire salut!

Comme un hommage.

Il est heureux parce que le temps est doux, parce qu'il a remarqué ce matin la qualité neuve de la lumière.

Il est porté par un grand élan de tendresse. Ce qui vient est toujours le plus important.

Pierre Bourque attend le printemps.

Et l'avenir.

TABLE DES MATIÈRES

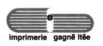
imprimerie gagné ltée

IMPRIMÉ AU CANADA